# SHAKTI GAWAIN
## et Laurel King

# vivez
## dans la
# lumière

**Guide de transformation personnelle et planétaire**

*Le Souffle d'Or*

Titre original : **LIVING IN THE LIGHT**
a guide to personal and planetary transformation
© **1986 Shakti Gawain et Laurel King - ISBN 0-931432-14-6**
Publication originale : WHATEVER PUBLISHING, INC.
IN MILL VALLEY, CALIFORNIA, USA 1986

© Pour l'édition en français
valable pour tous les territoires francophones :
**LE SOUFFLE D'OR**
Traduction : Claire DEVOS
Revue par : Edmonde KLEHMANN
Couverture : Michel ROUDNITSKA
Photocomposition, impression, façonnage :
Imprimerie des Beaux Arts, 34700 Lodève

**DÉPOT LÉGAL 2e TRIMESTRE 1986**

EDITIONS

*Le Souffle d'Or*

B.P. 3
05300 BARRET LE BAS
FRANCE

*A l'Univers*

# REMERCIEMENTS

Je tiens à remercier Laurel King, qui m'a beaucoup aidée dans la réalisation de ce livre. Elle a animé des ateliers avec moi pendant des années et est tout à fait familiarisée avec mon travail. Elle a recueilli et classé un grand nombre d'informations provenant d'enregistrements de mes ateliers, elle a écrit de longs passages dans plusieurs chapitres, et créé une grande partie des méditations et exercices. Plus important encore, son intelligence brillante et la richesse de sa créativité ont rendu ce travail agréable !

Je voudrais aussi exprimer mes remerciements à mon éditeur, Kim Peterson, pour la valeur de ses suggestions et contributions. Je remercie mes partenaires de Whatever Publishing, Mark Allen et Jon Bernoff, pour leur soutien. Mark a essayé pendant des années par tous les moyens de me faire écrire ce livre. Je suis heureuse que ses efforts soient enfin récompensés !

Je remercie spécialement mon cher ami Dean Patyk pour son amour et son soutien constants. Je suis grandement reconnaissante de leur soutien à mes merveilleux amis et à ma famille. Ils ont participé à mon évolution et au processus de création de ce livre. Je veux encore remercier Michael Kayden qui fut un ami et mon miroir durant ce processus.

Et je vous remercie, vous mes lecteurs, clients, mes étudiants et amis, qui me donnez tant d'amour, d'encouragements et d'appréciation.

# TABLE DES MATIÈRES

# INTRODUCTION

**Le début de mon voyage.**

J'ai toujours eu un grand désir de comprendre le fonctionnement de l'univers, le pourquoi de la vie, pour quelle raison et dans quel but je me trouvais sur terre. Rétrospectivement, je vois que j'ai consacré ma vie à la recherche de la vérité et de la compréhension.

J'ai été élevée dans une famile non pratiquante, très intellectuelle et cultivée. Mes parents étaient fondamentalement athées, et je me souviens que très tôt, je me suis mise à penser que la croyance en Dieu était une fantaisie, une superstition inventée pour que nous nous sentions plus à l'aise dans la situation totalement inexplicable et inexpliquée où il semble que nous nous trouvons. L'existence humaine, comme n'importe quelle autre existence, était un simple accident de la nature, dépourvu de tout sens particulier. Je préférais admettre que je ne savais ni comment ni pourquoi nous étions là, plutôt que d'adopter quelque explication simpliste dans le seul but de me sécuriser. Je croyais que la vérité était rationnelle, et que tout ce qui ne pouvait pas être scientifiquement prouvé n'existait pas. J'éprouvais de même quelque condescendance à l'égard de tous ces gens assez faibles pour avoir besoin de se fabriquer un Dieu en lequel ils croyaient.

Le côté positif de cette éducation, c'est qu'elle m'a en grande partie évité la "programmation", rigide et extrêmement négative, de notions comme le vrai, le faux, le paradis, l'enfer et le péché, que tant de gens reçoivent au début de leur formation religieuse. J'avais d'autre part des parents qui m'aimaient vraiment, et qui voyaient profondément en moi un être brillant, intelligent et capable de beaucoup. Bien qu'ils aient divorcé quand j'avais moins de deux ans, je reçus d'eux une aide considérable, de ma mère en particulier, avec qui je vivais alors.

Ma mère est une femme aventureuse, à l'esprit ouvert. Elle ne semble pas connaître nombre de craintes qu'ont ceux de sa génération, aussi n'ai-je jamais été programmée pour voir le monde comme un lieu dangereux et effrayant. Ma mère adore explorer de nouveaux endroits et nous avons beaucoup voyagé quand j'étais enfant - à travers les USA, aux Antilles, au Mexique, à Hawaï, en Europe -. Nous déménagions souvent. Jusque vers l'âge de quinze ans, je n'ai jamais vécu au même endroit plus de deux ou trois ans. Ma mère adore aussi essayer tout ce qui est nouveau, et elle fut pour moi un excellent modèle de personnage intrépide, à l'esprit pionnier. Elle fut l'une des premières femmes américaines de sa génération à connaître l'accouchement naturel. J'étais le premier bébé que son médecin ait jamais mis au monde sans anesthésie ; mon heureuse naissance a constitué une bénédiction pour moi.

Dans la famille de ma mère, on avait été Quakers, et nous utilisions encore le "plain language" lorsque nous parlions à ma grand-mère (dire "thee" au lieu de "you" est pour le Quaker une façon de reconnaitre Dieu dans chacun). Ainsi, à un niveau profond, je m'imprégnais de ce grand respect pour l'esprit et de cet intérêt pour l'humanité qui sont tissés dans la toile de la religion Quaker.

A treize ans, je passai par une crise émotionnelle. Déclenchée au départ par l'effondrement de ma première histoire d'amour (avec un "plus vieux" de 19 ans, à qui j'étais sûre que personne ne serait jamais comparable), elle fit boule de neige et me plongea dans un désespoir profond et durable. Je regardai longuement et durement la vie, et reconnus qu'elle n'avait vraiment ni sens, ni valeur. Je voyais déjà que tout ce qui pouvait donner un sens à la vie - l'éducation, le succès, les relations, l'argent - était en fait éphémère et dépourvu de sens. Il semblait qu'il n'y eût rien d'autre pour combler le vide. Profondément déprimée, ayant perdu mes illusions, je restai dans cet état pendant plusieurs années.

Rétrospectivement, je vois que je passais alors par un stade que chacun de nous doit traverser à un moment ou à un autre, et que les mystiques appellent la percée du voile de l'illusion. C'est le point où nous commençons à nous tourner vers nous-mêmes pour découvrir la vraie nature de l'existence. Dans ces moments-là, nous ressentons d'ordinaire émotionnellement que nous touchons le fond, mais au moment où nous le touchons réellement, nous débouchons par une trappe, sur un nouveau monde de lumière - le royaume de la vérité spirituelle. C'est seulement en nous déplaçant totalement dans le noir que nous pouvons émerger au travers, dans la lumière.

## Nouvelles expériences.

Au cours des quelques années suivantes, j'eus de nouvelles expériences, des ouvertures, une prise de conscience grandissante qui n'entrait pas dans mon cadre rationnel d'autrefois. A l'université, j'étudiai la psychologie et participai à des groupes de rencontre et de développement de la sensibilité, qui me permirent de relâcher de vieilles douleurs émotionnelles et me conduisirent aussi à connaître de nouveaux sentiments d'amour, de joie et de fusion avec le tout. Je fumai un peu de marijuana et fis quelques expériences avec du LSD ; ces expériences furent très positives dans le sens où j'atteignis de nouveaux niveaux d'éveil et de perception. J'étudiai la danse et découvris qu'en dansant, j'éprouvais souvent un sentiment d'euphorie, comme si quelque force supérieure prenait ma place et que je me laissais délicieusement aller, guidée par elle.

J'avais toujours été intéressée par la philosophie orientale, aussi je me mis à lire des ouvrages sur le boudhisme et l'hindouisme. Je pratiquai le yoga et la méditation et trouvai qu'ils m'aidaient à me sentir mieux centrée, plus détendue et en accord avec moi-même. Après l'université, je passai deux ans à voyager autour du monde, je vécus quelques mois en Inde, où je pris profondément conscience de la tradition mystique orientale. Ces voyages étaient pour moi une puissante expérience, car je vivais en suivant mon intuition, avec peu d'argent et sans projets réels. A l'origine, j'étais partie passer des vacances en Italie, et je finis par faire un voyage de deux ans autour du monde. J'appris que je pouvais vivre heureuse sans virtuellement rien posséder, et me déplacer en sécurité dans des endroits inconnus.

## Accès à la conscience.

Quand je revins aux Etats-Unis, j'étais accrochée à quelque

chose que l'on nomme "conscience". Je ne pouvais pas définir ce que c'était, mais je savais que j'en voulais plus, et que comparé à cela, plus rien n'avait d'importance. Quel intérêt de poursuivre une carrière, d'avoir de l'argent ou des relations alors que j'avais compris qu'en accédant à plus de "conscience", j'obtiendrais en plus automatiquement toutes ces choses-là ?

J'allai habiter dans la baie de San Francisco, que je considérais comme un lieu privilégié pour les recherches sur la conscience. Je me plongeai dans cette recherche. Je suivis des cours et des ateliers, lus avidement de nouveaux livres, méditai et parlai constamment avec ceux qui s'étaient engagés dans le même processus. Après avoir lu *"Handbook to Higher Consciousness"* de Ken Keyes, j'allai vivre dans son centre de Berkeley où nous avons travaillé sur notre état de conscience intensément, jour et nuit, pendant un an. Après cela, je continuai à vivre en communauté pendant plusieurs années, avec d'autres qui étaient dans un processus intensif de croissance personnelle. Je fis tout ce qui se présentait à moi afin de gagner assez d'argent pour vivre : ménage, travail de bureau, tout et rien, pendant que je me concentrais sur mon vrai travail, mon travail intérieur.

C'était il y a dix ans et, depuis cette époque, ma vie a été consacrée entièrement à ma croissance et à mon évolution en tant qu'être conscient. Alors même que je désirais beaucoup de choses, je me rendis compte qu'elles viendraient toutes à moi, quand j'aurais appris à vivre pleinement en accord avec les vrais principes de l'univers. Et c'est ainsi que ma passion la plus forte devint mon voyage vers la lumière.

### Mon nom

Les gens me posent toujours des questions sur mon nom, aussi vais-je vous en parler.

Alors que j'étais en Inde, je fus fascinée par l'hindouisme et commençai à l'étudier. Le christianisme ne m'avait jamais beaucoup intéressée, car je n'avais pas été élevée dans la religion chrétienne. Quelques-unes des idées du boudhisme me plaisaient beaucoup, mais cela me semblait un peu trop intellectuel. Les mythes, les symboles, les divinités de la religion hindoue touchaient plus profondément mon âme. C'est une re-ligion complexe que je ne prétends pas comprendre, mais j'en ai saisi quelques aspects.

Dans l'hindouisme, il existe une trinité de grandes divinités qui symbolisent les trois aspects de la vie. Brahma est le créa-teur, Vishnou celui qui préserve et Shiva celui qui détruit. Shi-va représente le changement constant de l'univers, le flot de la vie, le fait que tout doit constamment être détruit pour pouvoir renaître. Il nous rappelle que nous devons sans cesse laisser al-ler ce que nous tenons, afin d'être dans le courant et le mou-vement de la vie. Beaucoup de ses fidèles fervents laissent leurs biens et leurs foyers et s'en vont librement, en s'abandon-nant eux-mêmes pour suivre et faire confiance à l'énergie de l'univers. Shiva est aussi connu comme dieu de la danse et on dit que c'est sa danse qui conserve l'univers en mouvement. Il est décrit comme un homme très beau, très puissant, aux longs cheveux défaits (on dit que ses cheveux sont le fleuve sacré du Gange). Je me sentis irrésistiblement attiré par lui.

Shakti est l'aspect féminin de Shiva. Le mot "shakti" signifie "énergie", l'énergie avec laquelle l'univers est fait. C'est l'énergie de la vie - la force de vie qui parcourt notre corps. Cela signi-fie aussi "énergie féminine". Dans la pratique hindoue du Tan-tra, il existe des techniques d'illumination par la canalisation de l'énergie sexuelle. Dans cette pratique, l'homme est considéré comme Shiva et la femme comme Shakti.

A mon retour d'Inde, je fis la connaissance de mon ami Mark Allen, avec qui je vécus pendant plusieurs années. Il trouva que mon prénom ne m'allait pas bien et, connaissant mon "histoire d'amour" avec Shiva, il commença à m'appeler Shakti. Ce nom me plut et je me mis à m'en servir.

A cette époque, je ne crois pas avoir eu conscience de la puissance de ce nom, mais je m'en rends certainement compte maintenant. Je sens que sa vibration m'aide à émerger dans la totalité de ma puissance.

Gawain est mon nom de famille. C'est le même nom que Sir Gawain (en français : Gauvin) dans les légendes du roi Ar-thur. D'après une définition du dictionnaire, il signifie "faucon de combat", une image que je trouve merveilleuse. Chez moi, Shakti est l'aspect féminin et Gawain l'aspect masculin.

## Visualisation créatrice.

L'un des premiers ateliers que je suivis fut le Silva Mind Control Course. J'étais à l'époque plutôt sceptique sur ces questions, et ne l'aurais probablement jamais fait sans ma mère, qui avait suivi le cours et me l'avait vivement recommandé. Je n'oublierai jamais comment elle me décrivit la technique qui vous permet de vous représenter mentalement ce que vous souhaitez voir se produire et qui se produit effectivement. Mon esprit en doutait, mais mon cœur se mit à battre plus vite et je me souviens d'avoir pensé : "Depuis mon enfance, j'ai toujours *su* que la magie existait, que quelque part, d'une certaine façon, elle existe vraiment. Voilà quelque chose qui s'en rapproche, plus que tout ce dont j'ai déjà entendu parler".

Je suivi le cours et je fus bien étonnée ! Nous avons commencé en douceur et facilement par des techniques simples, acceptables et faisables par tous et, progressivement, nous nous sommes acheminés vers des processus plus difficiles à expliquer, mais très puissants. Au bout de cinq jours, j'avais une solide expérience psychique qui me permettait, pendant plusieurs heures, de recueillir efficacement des informations spécifiques que je n'avais aucun moyen de connaître en dehors de mon intuition. Cette expérience commença à dissoudre quelques unes de mes anciennes limitations sur ce que je croyais être possible.

Ce que j'appris de plus important dans ce cours fut la technique de base de la visualisation créatrice - se détendre profondément et représenter ensuite mentalement un but que l'on souhaite atteindre, de la façon exacte dont on le désire. Je commençai à m'entraîner à cette technique, et découvris qu'elle était étonnamment efficace. Assez souvent, ce que je me représentais se réalisait rapidement et de façon inattendue. Je fus fascinée par les possibilités offertes et suivis d'autres cours et ateliers sur le même sujet. Je commençai à utiliser les techniques de visualisation régulièrement dans ma vie et à les enseigner à mes amis. Je lus le livre de Seth, "The Nature of Personal Reality" de Jane Roberts, et fus puissamment touchée par l'idée que nous créons notre propre réalité. Je me mis aus-

sitôt à animer des ateliers et à donner des consultations privées, et finalement j'écrivis *Techniques de Visualisation Créatrice*.

Quand me vint l'idée d'écrire le livre, je voulais juste mettre
noir sur blanc quelques idées et quelques techniques de façon
compréhensible. Je pensais faire un petit livret que je pourrais
donner à mes amis, et vendre peut-être à mes clients et à
quelques personnes intéressées. Tout en écrivant, j'étais pleine
de doutes envers moi-même : "Qui suis-je pour écrire un tel livre ? Je ne suis pas une experte en la matière". Cependant,
une force intérieure me poussa à le faire, et je le fis. J'utilisai
des techniques de visualisation créatrice pour m'aider à créer le
livre. Un ami m'en dessina la couverture. Je l'accrochai au mur
et me mis à imaginer et à affirmer que le livre était déjà termi-
né. Je découvris que j'écrivais passablement sans effort (en dehors de mes doutes persistants), et sans m'en rendre compte,
cela devint un vrai livre, que je publiai avec quelques amis.

Je ne me rendis pas pleinement compte à l'époque que le livre provenait d'une source supérieure, canalisée en moi. Au niveau personnel, j'avais des doutes et des craintes, mais à cause
de mon engagement envers moi-même, j'étais désireuse d'aller
de l'avant et de suivre à tout prix l'énergie créatrice. Comme
j'avais des facilités pour écrire et penser clairement, que j'étais
très intéressée par ces idées, que j'avais de bons antécédents
sur la question et que je voulais bien prendre quelques risques,
l'univers pouvait m'utiliser comme canal.

Le processus de publication se déroula de façon similaire.
Mes amis Mark Allen et Jon Bernoff, et moi-même, n'étions
pas familiers ni des affaires, ni de l'édition, nous n'avions pas
du tout d'argent, mais désirions créer nos propres livres et mu-
siques. En nous fiant à nos sentiments et en étant prêts à
prendre des risques pour les suivre, nous avons découvert que
nous étions menés pas à pas vers ce dont nous avions besoin.
Nous avons fait beaucoup d'erreurs dans ce processus (surtout
en ne suivant pas notre guide intérieur), dont quelques-unes
furent douloureuses et extrêmement coûteuses, mais aujour-
d'hui, à la suite de nombreux miracles, nous avons une société
d'édition (Whatever Publishing, Inc.) et une société de disques
(Rising Sun Records) qui marchent bien.

*Techniques de Visualisation Créatrice* a connu un succès au-delà de tout ce que j'aurais pu espérer en l'écrivant. Bien qu'il n'ait pas été commercialisé ni lancé de façon significative, en dehors du bouche à oreille, au moment où j'écris ces lignes le livre se rapproche d'un demi million d'exemplaires vendus. Il a été traduit dans plusieurs langues. J'ai reçu nombre de lettres et d'appels de tous les coins du monde, de gens me disant qu'il les avait aidés à transformer leur vie. Je dois dire que tout cela est assez gratifiant, surtout parce que j'y vois la puissance supérieure de l'univers au travail. Je me sens comme une mère qui regarde fièrement son enfant travailler et faire fortune dans le monde, sachant qu'il est mien tout en ne m'appartenant pas. Il est passé par moi et je l'ai aidé à prendre forme, et c'est maintenant un être, une entité en soi, qui a sa propre destinée et son propre lien avec la source de création.

### S'abandonner à l'univers.

Au début, quand je découvris les techniques de visualisation créatrice et que je sus comment elles marchaient, j'étais exaltée de sentir qu'à travers elles, je pourrais créer tout ce que je voulais dans ma vie. J'étais transportée à l'idée d'avoir tout ce que je désirais !

Je fis là un grand pas qui me sortit de l'attitude fondamentalement impuissante que j'avais auparavant - la pensée que la vie est une fatalité dont on doit essayer de tirer le meilleur parti possible. C'était à la base une position de victime - donner pouvoir aux gens et aux choses en dehors de moi-même. En utilisant la visualisation créatrice, je commençais à me rendre compte que le pouvoir reposait en moi et que je pouvais choisir de faire de ma vie ce que je voulais. Cela me rendait ma puissance et ma liberté.

Tout en explorant le processus de création de ma propre réalité, je commençai peu à peu à me rendre compte que le pouvoir créateur que je ressentais venait d'une autre source que ma personnalité/ego. D'un côté, certaines des choses que je *pensais* vouloir ne se manifestèrent pas et je vis, avec le recul, que c'était pour mon plus grand bien. D'autres arrivèrent par miracle, comme si une force invisible mettait tout en place. J'avais quelquefois des flashes de perception et de conscience, ou des visions du futur, très précises qui semblaient venir d'une source profonde en moi. Je cherchai de plus en plus à découvrir ce qu'était cette force créatrice et comment elle fonctionnait. Je commençai à me rendre compte qu'"il" (mon moi supérieur) semblait en savoir plus que "je" (ma personnalité) sur bien des choses. Je vis qu'il serait probablement bon d'essayer de découvrir ce que me disait ce guide intérieur et de le suivre. Il me sembla que chaque fois que je le faisais, cela me réussissait.

Finalement, je ne vis plus l'intérêt d'essayer de contrôler ma vie, ni de faire arriver les choses d'après ce que je pensais. Je commençai à m'entraîner à l'abandon à l'univers, à découvrir ce qu'"il" voulait que je fasse. Je découvris qu'à long terme, il n'y avait guère de différence. L'univers semble toujours vouloir que j'aie tout ce que je veux et il semble savoir comment me guider pour créer, mieux que je ne le saurais moi-même. L'accent n'est pourtant pas mis au même endroit. Au lieu de calculer ce que je voulais, de me fixer des buts et d'essayer de contrôler ce qui m'arrivait, je commençai à m'entraîner à être réceptive à mon intuition et à agir d'après ce qu'elle me disait sans toujours comprendre pourquoi j'agissais ainsi. Le sentiment était une absence de contrôle, un abandon pour permettre à la puissance supérieure de prendre les commandes.

A peu près à cette époque, je rencontrai une femme du nom de Shirley Luthman, qui devint un professeur de premier ordre pour moi. Elle dirigeait un groupe hebdomadaire dont je fis fidèlement partie pendant cinq ans. Elle m'apprit beaucoup de choses sur la façon de s'abandonner et devenir un canal conscient de l'univers. De nombreuses idées de "Vivez dans la lumière", y compris les concepts de masculin et de féminin que j'utilise, ont été inspirés par Shirley et je lui suis profondément reconnaissante pour ce qu'elle m'a enseigné. Elle est l'auteur de l'ouvrage *Collection* (publié chez Mehitabel & Co, P.O. Box 151, Tiburon, CA 94920) qui pourrait intéresser les lecteurs.

### Confiance en moi-même

Après quelques années avec Shirley, je me trouvai face à un problème vieux comme le monde : comment se détacher du gourou. J'aimais tant Shirley, je la respectais tant, ce que je recevais d'elle était inestimable et je reculais le moment d'admettre que je ne pourrais pas attendre d'elle d'autres réponses.

Pendant le processus de renforcement et de connaissance de mon canal, Shirley me servait de miroir et reflétait le pouvoir de ma femme intérieure. Dans un sens, elle était la mère métaphysique qui m'apportait soutien et sécurité jusqu'à ce que je sois prête à me fier complètement à moi-même.

Finalement, mon guide intérieur me dit qu'il fallait arrêter de me reposer sur elle. Le temps était venu de faire entièrement confiance au pouvoir de mon canal. C'était à la fois terrifiant et libérateur de me rendre compte que j'avais ma propre voie et que personne n'était là pour me montrer le chemin. Ma vie est une aventure quotidienne, un voyage de découvertes instant après instant, avec l'univers pour seul guide.

### Vivez dans la lumière.

Depuis que j'ai écrit *Techniques de Visualisation Créatrice,* beaucoup de gens m'ont demandé d'écrire un autre livre. Deux ans après sa publication, je commençai à avoir le fort sentiment que je *devais* écrire un autre livre. En me promenant un jour dans les bois, je pensais à mon nouveau livre et me demandai vaguement comment l'appeler. Mon attention fut soudain attirée par un bosquet près du sentier où filtrait un rayon de soleil entre les arbres, brillant à travers les feuilles. C'était beau et, comme je m'émerveillais, les mots "Vivez dans la Lumière" me vinrent à l'esprit. Je sus aussitôt que ce serait le titre de mon prochain livre et je me souviens d'avoir senti que ce n'était pas une pensée, mais un "don". J'eus même l'impression que je n'avais guère le choix... et qu'il me fallait utiliser ce titre !

Je me sentis très inspirée, commençai à prendre quelques notes et à dire aux gens que je travaillais à mon nouveau livre. Mon éditeur fit dessiner une couverture et commença à faire un peu de promotion. Mais je remarquai au bout d'un moment que je n'avais en fait rien écrit. Je pensais toujours que ça allait venir, mais non. Il est vrai que je ne sentais pas l'énergie de m'asseoir et d'écrire, et il ne me servait à rien de me dire que je "devais" le faire. J'étais à l'époque assez engagée dans la philosophie qui veut que la vie ne soit pas une lutte. Je sus que le moment venu, les choses arriveraient facilement. Je ne voulais vraiment pas le faire si je sentais que c'était dur : je sentais que le moment viendrait quand l'énergie serait assez forte et que je ne pourrais plus *ne pas* écrire.

Les années passèrent et je m'engageai dans plusieurs autres choses. Les gens continuaient à me demander des nouvelles de mon livre et je les rassurais en leur disant qu'il finirait bien par arriver. J'avais quelquefois des doutes en privé et dus accepter le fait que cela ne se ferait peut-être pas. Mais je sentais tout de même que ce livre aboutirait.

L'écrire fut un peu comme être enceinte. Je pouvais sentir quelque chose qui se formait et grossissait en moi. et je sus que je créais, même si on ne le voyait pas de l'extérieur. Le bébé sortirait quand il serait prêt et pleinement formé.

Le moment est venu. Le livre s'est réalisé facilement et. en travaillant avec Laurel. le fait d'écrire s'est révélé intéressant et sans problèmes. Bien que je sois engagée dans un très grand nombre d'autres projets. il semble que j'aie trouvé ici et là le temps d'écrire.

Je remercie ceux d'entre vous qui m'ont demandé ce livre pour leurs encouragements. Et je vous dis à tous que "j'espère que vous apprécierez de le lire autant que j'ai aimé l'écrire..."

Je vous aime.
*Shakti*

PREMIERE PARTIE

# LES PRINCIPES

CHAPITRE I

# UNE NOUVELLE FAÇON DE VIVRE

Nous vivons à une époque très intéressante, riche en possibilités. Au niveau le plus profond de la conscience, une transformation radicale est en train de se produire. Sur un plan universel, nous sommes, me semble-t-il, invités à abandonner notre façon de vivre actuelle pour créer une autre, tout à fait nouvelle. Nous entrons dans un processus de destruction de notre vieux monde et de construction d'un monde nouveau destiné à le remplacer.

Le monde ancien reposait sur des critères extérieurs : ayant perdu notre lien spirituel fondamental, nous nous sommes mis à croire que le monde matériel était la seule réalité. Nous sentant de ce fait profondément perdus, vides et seuls, nous avons essayé sans cesse de trouver le bonheur et l'accomplissement dans des "choses" extérieures : l'argent, les biens matériels, les relations, le travail, le succès, les bonnes actions, la nourriture ou la drogue.

Le nouveau monde se construit dès que nous nous ouvrons à la puissance supérieure de l'univers qui est en nous et que consciemment, nous laissons cette énergie créatrice circuler en nous. Dès que nous établissons le contact avec notre conscience spirituelle intérieure, nous découvrons que le pouvoir créateur de l'univers réside en nous. Nous apprenons aussi que nous pouvons créer notre propre réalité et prendre nos responsabilités dans ce domaine. Le changement commence en chacun de nous et plus nombreux sont les individus transformés, plus la conscience collective s'en trouve modifiée.

Je me suis rendu compte de la profonde transformation de conscience qui s'opère actuellement, à partir des changements que j'ai observés en moi-même, chez ceux qui m'entourent et dans notre société. Elle m'est confirmée par les milliers de gens avec qui je travaille à travers le monde.

"Vivez dans la lumière" traite de cette transformation de la conscience en chaque individu et dans le monde. J'utilise les termes de "monde ancien" et de "monde nouveau" tout au long du livre pour désigner l'ancienne façon de vivre que nous laissons derrière nous et la nouvelle que nous sommes en train de créer.

Pour beaucoup de gens, cette époque risque de s'avérer éprouvante, car le monde et/ou nos vies personnelles vont sembler aller de mal en pis, comme si tout ce qui marchait bien autrefois ne marchait maintenant plus. Je crois que tout se désagrège et se désagrègera de plus en plus, mais je ne le ressens pas en négatif. Nous n'en serons perturbés qu'à la mesure de notre degré d'attachement affectif à notre ancienne façon de vivre et aux vieux schémas que nous voudrions continuer à appliquer, au lieu d'essayer d'ouvrir les yeux sur les changements profonds qui ont lieu.

Aussi paradoxal que cela puisse paraître, ces changements constituent la plus incroyable des bénédictions, au-delà de tout ce que nous aurions pu imaginer. La vérité toute simple est : l'ancienne façon de vivre, que nous avons appliquée pendant des siècles, ne fonctionne pas. Elle ne nous a jamais apporté le profond épanouissement, la satisfaction et la joie que nous avons toujours cherchés. Bien sûr, certains ont mené des vies relativement heureuses (en y regardant bien, toutefois, je me demande s'ils n'étaient pas relativement déçus, douloureux et insatisfaits). La plus heureuse des vies du monde ancien ne peut pas se comparer à la joie et à la plénitude profondes qui seront accessibles au niveau supérieur de conscience du monde nouveau.

Nous nous trouvons un peu comme si toute notre vie, nous étions allés à l'école et avions reçu une éducation qui nous oriente dans le sens contraire du fonctionnement de l'univers. Nous essayons de faire marcher les choses comme on nous l'a appris et nous jouissons à l'occasion d'un certain degré de succès, mais pour la plupart d'entre nous, rien ne se révèle jamais à la hauteur de nos espérances. La relation parfaite ne se matérialise jamais ou bien, si elle se produit, elle s'altère tôt ou tard, ou se flétrit. Ou alors on a l'impression de ne jamais avoir tout à fait assez d'argent ; on ne se sent jamais vraiment en sécurité, jamais assez prospère. Peut-être n'obtenons-nous pas l'estime, l'intérêt ou le succès que nous attendions. Même si nous atteignons l'un ou l'autre de ces buts, nous continuons à souffrir d'un vague sentiment qu'il doit exister autre chose, de plus profond. Certains d'entre nous, qui sont en contact avec ce sens plus profond, se sentent incroyablement comblés et s'épanouissent par leur prise de conscience spirituelle grandissante. Il reste néanmoins d'anciens schémas réfractaires et des aspects de la vie que la lumière semble ne pas avoir encore touchés.

Notre tâche première, en construisant le monde nouveau, est donc d'admettre que notre "éducation à la vie" ne nous a pas nécessairement appris une façon de vivre satisfaisante. Il nous faut retourner au jardin d'enfants et commencer à apprendre une façon de vivre complètement opposée à la précédente. Cette tâche ne se révèlera peut-être pas facile et elle nous demandera du temps, un engagement et du courage. Il nous faudra user d'indulgence envers nous-mêmes et ne jamais oublier que nous entreprenons un travail énorme.

L'enfant tombe sans arrêt en apprenant à marcher et nous devons nous souvenir que nous sommes les enfants du monde nouveau. Nous apprendrons en commettant beaucoup d'erreurs et souvent, nous nous sentirons ignorants, effrayés ou peu sûrs de nous. Il ne nous viendrait pas à l'idée de nous fâcher contre un enfant à chaque fois qu'il tombe, (si nous le faisions, il n'apprendrait probablement jamais à marcher avec une totale confiance), aussi nous faudra-t-il essayer de ne rien nous reprocher si nous ne sommes pas capables de vivre et de nous exprimer immédiatement aussi pleinement que nous le souhaiterions.

Nous allons maintenant apprendre à vivre en accord avec les vraies lois de l'univers. Vivre en harmonie avec l'univers, c'est vivre pleinement la vitalité, la joie, la force, l'amour et la prospérité à tous les niveaux. Et bien qu'il nous semble parfois difficile d'abandonner le monde ancien, cela vaut la peine, à n'importe quel prix, de faire la transition vers le monde nouveau.

## Méditation

Assis ou couché, détendez-vous, fermez les yeux et respirez plusieurs fois profondément. En expirant, imaginez que vous laissez aller tout ce que vous ne voulez plus, tout ce dont vous n'avez plus besoin. Facilement, sans effort, laissez se dissiper toutes les frustrations, la fatigue, les soucis. Il est temps de relâcher votre ancienne façon de vivre qui ne fonctionne plus. Imaginez que vos anciens comportements, vos anciens schémas et tous les obstacles à la réalisation de ce que vous désirez quittent votre corps à chaque expiration. Chaque fois que vous laissez aller librement votre respiration, vous vous libérez de vos anciennes barrières, et vous créez en vous plus d'espace pour ce qui est nouveau.

Procédez ainsi pendant quelques minutes, puis imaginez qu'à chaque inspiration, vous aspirez l'énergie de la vie, la force vive de l'univers. Dans cette énergie se trouve tout ce que vous désirez , amour, puissance, santé, beauté, force, abondance. Aspirez tout cela à chaque inspiration. Imaginez que vous vous ouvrez sur une nouvelle façon de vivre, qui vous remplit de joie, de vitalité et d'énergie. Dites-vous que votre vie ressemble à ce que vous aimeriez qu'elle soit. Imaginez que cette nouvelle vie est ici, maintenant, et savourez-la. Laissez aller l'ancien et vivez le nouveau.

Quand votre méditation s'achève, ouvrez doucement les yeux et revenez dans la pièce. Voyez si vous pouvez conserver ce sens du nouveau en vous-même. Rappelez-vous que vous êtes entré dans un processus de création d'une nouvelle vie pour vous-même.

## CHAPITRE II

# LA PUISSANCE SUPERIEURE EN NOUS

La vie dans le monde nouveau repose sur la compréhension de l'existence d'une intelligence supérieure, d'un pouvoir fondamentalement créateur, ou énergie, dans l'univers, qui est la source et la substance de tout ce qui est. Les mots et les concepts qui ont été utilisés pour décrire ce pouvoir sont innombrables ; en voici quelques-uns, d'un usage courant dans notre culture :

| | | |
|---|---|---|
| *Dieu* | *L'univers* | *La source* |
| *Esprit* | *Moi supérieur* | *Intelligence cosmique* |
| *Puissance supérieure* | *Je suis* | *Guide intérieur* |
| *La lumière* | *La force* | *Conscience christique* |

Tous ces termes sont des tentatives pour exprimer une expérience ou un savoir qu'il est difficile de faire passer par des mots et des concepts rationnels. Chacun de nous a cette expérience en son for intérieur ; les mots que nous choisissons pour la décrire sont simplement les étiquettes qui nous conviennent le mieux.

J'utilise rarement le mot Dieu, car ses nombreuses connotations prêtent à confusion. Souvent, les gens l'associent à l'éducation religieuse de leur enfance, qui n'a plus aucun sens pour eux.

Certains pensent peut-être à Dieu comme à *quelqu'un* ou à *quelque chose* d'extérieur à eux-mêmes : le "vieil homme dans le ciel qui porte une longue barbe blanche". Je préfère des termes comme puissance supérieure, univers, esprit, moi supérieur ou lumière. Dans ce livre, j'alternerai l'usage des termes pour m'en référer à cette très haute intelligence créatrice, cette force qui est en nous. Si l'un de ces termes n'est pas assez chargé de sens pour vous, remplacez-le par celui que vous préférez.

Au cours des vingt premières années de ma vie, je n'ai eu aucune expérience consciente, ni aucune croyance en quelque puissance supérieure que ce soit. J'ai dû passer par différents stades de doute, de scepticisme, d'incrédulité et de peur avant d'arriver à la grande confiance que j'ai maintenant dans le pouvoir supérieur de l'univers qui est à l'intérieur de moi, à l'intérieur de chacun et de tout ce qui existe. Je n'ai rien accepté aveuglément et donc, dans un sens, il m'a fallu tout me "prouver" à moi-même à travers mes expériences de la vie. Tandis que j'apprenais à faire confiance à la puissance supérieure de l'univers et à vivre selon les principes universels, j'ai vu et senti dans ma vie des changements vraiment miraculeux.

Ceux d'entre vous qui ont éprouvé un profond éveil spirituel dans leur vie possèdent déjà des fondations solides sur lesquelles ils peuvent bâtir. Quant à ceux qui se sont sentis spirituellement déconnectés, comme je l'ai été, je souhaite que ces mots leur viennent en aide et les encouragent à trouver ce lien intérieur.

L'univers se montre sous deux aspects, personnel et impersonnel. Plus je m'abandonne et plus je prends confiance, plus ma relation avec cette puissance supérieure devient personnelle. Je peux littéralement sentir une présence en moi-même, qui me guide, qui m'aime, qui m'apprend et m'encourage.

Dans cet aspect personnel, l'univers peut revêtir l'apparence d'un professeur, d'un guide, d'un ami, d'une mère, d'un père, d'un amoureux, d'un génie créateur, d'une marraine-fée ou même du Père Noël. En d'autre termes, tout ce dont j'ai besoin et tout ce que je veux peut être exaucé par l'intermédiaire de ce lien. Il ne m'arrive plus désormais de me sentir vraiment seule... En fait, c'est dans la solitude physique que je trouve souvent la communion la plus intense avec l'univers. Dans ces moments-là, le vide en moi se remplit de lumière. Je trouve une présence qui me guide constamment, qui me dit où je dois aller et m'aide à tirer les leçons de chacun de mes pas sur le chemin qui est le mien.

## Méditation

Assis ou allongé dans une position confortable, fermez les yeux et respirez plusieurs fois profondément. Tout en respirant, détendez le plus possible votre corps. Puis respirez encore profondément, et, à chaque expiration, détendez votre esprit. Laissez défiler vos pensées sans en retenir aucune. Laissez aller votre esprit sans vous concentrer. Détendez votre conscience au plus profond de vous même.

Imaginez une présence très puissante en vous et autour de vous. Elle est tout amour, force et sagesse. Elle vous nourrit, vous protège, vous guide et prend soin de vous. Elle est aussi très légère, joyeuse et joueuse. Lorsque vous serez familiarisé avec elle et lui ferez confiance, elle vous rendra la vie agréable et passionnante.

Vous aurez peut-être une image, une impression ou une sensation physique représentant cette présence supérieure. Même si vous ne voyez ni ne sentez rien, admettez de toute façon qu'elle est là.

Détendez-vous et appréciez le sentiment ou la pensée que l'univers prend entièrement soin de vous. Affirmez en silence ou à haute voix : "Je sens et je crois en la présence de l'univers dans ma vie".

# CHAPITRE III

# L'INTUITION

Une fois que nous connaissons la puissance supérieure de l'univers, nous nous demandons bien sûr comment entrer en contact avec elle ou y avoir accès. Après tout, s'il existe une sagesse supérieure ou une connaissance plus profonde que celle dont nous avons d'ordinaire l'expérience et si nous nous mettons en relation avec elle, nous devrions être capables de recevoir des instructions précieuses pour bien vivre dans ce monde déroutant. Je vis poindre cette idée en moi il y a quelques années, alors que j'entreprenais mon voyage vers la lumière. Depuis, j'ai découvert que nous pouvons accéder au savoir qui est en chacun de nous par ce que nous appelons d'ordinaire l'intuition. En apprenant à nous mettre en contact, à écouter et à agir avec notre intuition, nous pouvons nous relier directement à la puissance suprême de l'univers et la laisser devenir la force qui nous guide.

Nous nous trouvons ici en contradiction totale avec la vie telle qu'on nous a appris à la vivre dans le monde ancien. La civilisation occidentale nous a enseigné le respect, et même le culte du rationnel et du logique dans notre être, et le rejet, le mépris ou le reniement de notre intuition. Nous accordons aux animaux la faculté de comprendre des choses qui dépassent de loin leur capacité rationnelle ; nous l'appelons instinct. Mais il s'agit d'un mystère qui défie toute explication *logique,* aussi haussons-nous les épaules et considérons-nous cette faculté comme très inférieure à la magnifique aptitude humaine au raisonnement.

Tout le système de valeur de notre culture repose fermement sur cette croyance en un principe rationnel absolu, qui constituerait en fait la vérité absolue. La tradition scientifique occidentale est devenue notre religion. On nous apprend depuis notre plus jeune âge à essayer d'être raisonnable, logique et conséquent ; à éviter les comportements émotionnels et irrationnels ; et à ne pas laisser paraître nos sentiments. Au mieux, sentiments et émotions sont interprétés comme des signes de stupidité, de faiblesse, et ils dérangent. Au pire, nous craignons qu'ils ne menacent le système même de notre société civilisée.

Nos institutions religieuses nourrissent cette peur du moi intuitif et irrationnel. Autrefois basées sur une profonde conscience de la présence du principe universel créateur en chaque être humain, nombre de religions n'honorent plus cette idée que du bout des lèvres. Elles cherchent plutôt à contrôler le comportement de leurs fidèles, utilisant des structures élaborées de règles censées délivrer les gens de leur nature profonde, irrationnelle et fondamentalement "pécheresse". Et selon de nombreuses disciplines psychologiques, il faut contrôler l'instinct naturel de l'homme, car il est obscur et dangereux. A partir de ce point de vue, seule la raison peut dompter cette force mystérieuse et la canaliser vers des voies saines et constructives.

En général, les sociétés techniquement moins développées ont une approche de la vie faite d'une conscience et d'un respect profonds pour la part intuitive de l'existence. Chaque instant de leur quotidien est guidé par un sens puissant de relation avec la force créatrice. Toutefois, leur manque de développement technique a été le facteur de leur destruction progressive ou de leur intégration dans la société moderne. Deux exemples sont significatifs pour les Américains : les cultures indigènes d'Afrique et d'Amérique. Ces deux groupes se sont effondrés au contact de la culture "occidentale". Un profond respect et un vif intérêt pour les indigènes d'Amérique commence cependant à se manifester dans notre conscience depuis ces dernières années. Quant à la culture africaine, transplantée par la force sur ce continent, elle a probablement plus que toute autre culture joué un rôle dans la préservation d'un pouvoir intuitif vivant dans notre pays.

L'évolution de l'homme semble montrer que plus notre capacité rationnelle progressait, plus nous sommes devenus méfiants à l'égard de l'aspect intuitif de notre nature. Nous avons essayé de contrôler cette "force obscure" en créant des structures de règles autoritaires qui définissent d'une façon très pesante le vrai et le faux, le bien et le mal, le comportement correct et l'incorrect. Nous justifions cette approche rigide de la vie en blâmant tout ce qui n'est pas rationnel dans notre nature, depuis nos drames émotifs personnels, jusqu'à nos maladies de société, comme la drogue, l'alcoolisme, le crime, la violence et la guerre.

Toutefois, dès que nous acceptons la réalité du pouvoir qui opère dans l'univers, canalisé en nous par notre intuition, il devient évident que nos problèmes personnels et les désordres du monde sont en fait causés par le *non*-respect de notre intelligence intuitive intérieure. Plus nous nous méfions de notre moi intérieur et plus nous l'étouffons, plus il risque de se manifester brutalement et de façon désordonnée. Autrement dit, de tels problèmes ne nous montrent pas notre nature émotionnelle et non rationnelle en train de s'emballer, échappant à notre contrôle ; au contraire, qu'ils soient personnels ou sociaux, ces problèmes résultent de la peur et de la suppression de notre intuition.

Notre esprit rationnel ressemble à un ordinateur : il traite la donnée qu'il reçoit et calcule des conclusions logiques à partir de cette information. Mais l'esprit rationnel est limité, il ne peut évaluer qu'à partir des données qu'il a directement reçues. En d'autres termes, notre esprit rationnel ne peut opérer que sur la base des expériences directement vécues par chacun.

L'esprit intuitif semble en revanche avoir accès à un stock infini d'informations. Il a l'air capable de puiser dans une immense réserve de connaissance et de sagesse, l'esprit universel. Il est de même capable de trier cette information et de nous fournir exac-

tement ce dont nous avons besoin. Même si les messages ne
nous arrivent que par bribes, même si nous devons apprendre à
collectionner ces éléments d'information, la clarté se fera peu à
peu. Alors que nous apprenons à nous fier à cette guidance, la
vie devient fluide et facile. Notre existence, nos sentiments et nos
actions s'imbriquent harmonieusement avec ceux des gens qui
nous entourent.

Nous sommes dans la situation où chacun de nous jouerait
d'un instrument unique dans un immense orchestre symphoni-
que, dirigé par une intelligence universelle. Si nous jouons notre
partition sans nous occuper des indications du chef d'orchestre ni
du reste de l'orchestre, nous provoquons un chaos total. Si nous
essayons de nous ajuster sur nos voisins plutôt que sur le chef
d'orchestre, il n'y aura pas harmonie, il y a trop de gens et tous
jouent autre chose. Notre intellect n'est pas capable de traiter
tant de données et de décider à chaque instant quelle est la
meilleure note à jouer. Mais si nous regardons le chef d'orchestre
et si nous suivons ses indications, nous goûtons la joie de jouer
notre propre partition, qui est unique et que chacun pourra entendre et apprécier, et en même temps nous nous rendons
compte que nous faisons partie d'un grand tout harmonieux.

Quand nous appliquons cette analogie à notre vie, nous cons-
tatons que la plupart d'entre nous ne sont pas conscients de
l'existence d'un chef d'orchestre. Nous avons vécu de notre
mieux, en utilisant notre seul intellect pour comprendre nos vies
et calculer la meilleure marche à suivre. Si nous sommes honnêtes avec nous même, nous admettons volontiers que, guidés par
notre seul esprit rationnel, nous ne jouons pas une très belle musique. La dissonance et le chaos, dans nos vies comme dans le
monde, reflètent indiscutablement l'impossibilité de vivre ainsi.

En nous accordant sur l'intuition et en la laissant devenir la
force qui guide nos vies, nous permettons au chef d'orchestre de
prendre la place qui lui revient à la tête de l'orchestre. Au lieu
d'y perdre toute liberté individuelle, nous recevons l'appui dont
nous avons besoin pour *exprimer* réellement notre individualité.
De plus, nous aurons la joie de faire l'expérience de participer à
un canal créateur plus vaste.

Je ne comprends pas tout à fait le fonctionnement si étonnant de l'intuition, mais, de par mon expérience, mes observations et les témoignages de beaucoup de gens avec qui j'ai travaillé, je sais avec certitude qu'elle fonctionne ainsi. Et je découvre que plus je crois à cette "voix" intérieure et plus je l'écoute, plus ma vie devient aisée, riche et passionnante.

## Méditation.

Assis ou couché dans une position confortable et dans un endroit tranquille, fermez les yeux et detendez-vous. Respirez plusieurs fois lentement et profondément, en détendant un peu plus votre corps à chaque fois. Détendez votre esprit et laissez défiler vos pensées, sans vous arrêter sur aucune d'elles. Imaginez que votre esprit devient un lac calme et paisible.

Portez maintenant votre conscience vers un endroit profond de votre corps, dans la zone de l'estomac ou du plexus solaire, à l'endroit de votre corps que vous ressentez comme vos "entrailles". C'est l'endroit physique où vous pouvez contacter le plus aisément votre intuition.

Imaginez que vit en vous un être de sagesse. Peut-être avez-vous de lui une image, ou bien vous sentez simplement sa présence. Cet être de sagesse est vraiment une partie de vous, de votre moi intuitif. vous pouvez vous adresser silencieusement à lui, le solliciter, lui poser des questions. Ensuite, detendez-vous, ne pensez pas trop avec votre tête et soyez prêt à recevoir des réponses. Les réponses peuvent venir par des mots, des sentiments ou des images. Les réponses sont d'ordinaire très simples, elles se rapportent au moment présent (pas au passé, ni au futur), et vous "sentez" qu'elles sont justes. Si vous ne recevez pas tout de suite de réponse, n'insistez pas. La réponse viendra plus tard, soit de l'intérieur de vous-même, sous la forme d'un sentiment ou d'une idée, soit de l'extérieur, par une personne, un livre, un événement ou tout autre chose.

Vous pourriez demander par exemple : "Intuition, dis-moi ce

que je dois faire maintenant. Que dois-je faire dans cette situa
tion ?"

Faites confiance à vos sensations et agissez en fonction d'elles.
S'il s'agit vraiment de votre intuition, vous découvrirez qu'elles
vous mènent à un sentiment de très grande force vitale et d'autres possibilités commenceront à s'ouvrir à vous. Si cela ne se
produit pas, peut-être avez-vous agi non pas selon votre intuition, mais selon la voix de votre ego. Revenez en arrière et demandez une clarification.

Arriver à entendre et à croire en l'intuition demande de la pratique. Plus vous vous y adonnerez et plus ce sera facile. Un jour
viendra où vous serez capable de vous mettre en contact avec
votre intuition, de vous poser des questions et de savoir que
"l'être de sagesse" qui réside en vous met à votre disposition une
source de pouvoir et de force incroyable pour vous répondre et
vous guider. Plus vous deviendrez réceptif à cette guidance émanant de vos sentiments intuitifs intérieurs, plus vous saurez ce
que vous avez à faire en chaque occasion. Votre pouvoir intuitif
sera toujours disponible pour vous guider, chaque fois que vous
en aurez besoin. Il s'ouvrira à vous, dès que vous voudrez bien
avoir confiance en vous-même et en votre savoir intérieur.

## CHAPITRE IV

# DEVENEZ UN CANAL CREATEUR

Dès que vous écoutez et suivez votre intuition, à quelque degré que ce soit, vous devenez un canal créateur pour la puissance supérieure universelle. Quand vous vous laissez volontairement mener par votre énergie créatrice, la puissance supérieure peut passer par vous pour manifester sa faculté créatrice. Dans ce cas, vous vous découvrirez unis à l'énergie dans sa fluidité, faisant ce que vous désirez vraiment et sentant la puissance de l'univers circuler en vous afin de créer et de transformer tout ce qui vous entoure.

Utilisant le terme de *canal,* je ne me réfère pas au processus psychique qui implique la réceptivité d'un médium se mettant dans un état de transe, pour permettre à un autre être de s'exprimer à travers lui (l'un des exemples les plus connus est celui de Jane Roberts, qui a servi de canal à un être nommé Seth). Par canaliser, j'entends pour ma part être en contact avec notre sagesse et notre créativité profondes et les amener à se manifester. Etre un canal consiste à être totalement et librement soi-même, tout en ayant conscience d'être un véhicule de l'esprit créateur universel.

Tout génie créateur est un canal. Tous les chefs-d'œuvre ont été créés par le processus de la canalisation. Rien de grand n'est produit par l'ego. Les grandes choses *sortent* d'une inspiration profonde au niveau universel et sont seulement ensuite exprimées et mises en forme par l'ego individuel et la personnalité.

Quelqu'un peut posséder une excellente technique, mais sans la faculté de canaliser, son travail ne sera pas inspiré. La différence entre un technicien et un canal a été clairement démontrée dans le film *Amadeus*. Salieri savait comment lire la musique, mais il ne savait pas comment atteindre la source créatrice. Mozart, qui compte parmi les canaux les plus étonnants que la terre ait jamais portés, écrivit de la musique à la fois techniquement parfaite et merveilleusement inspirée. Il y parvint en outre très spontanément, sans avoir à y penser ni à faire d'efforts. Depuis sa plus tendre enfance, la musique semblait bouillonner en lui et tout simplement déborder. Je suis sûre qu'il n'avait pas la moindre idée sur le phénomène et qu'il aurait été incapable d'exprimer à quelqu'un comment s'y prendre pour le produire.

Un tel génie a toujours été considéré comme mystérieux et inexplicable, comme un don de Dieu accordé à une infime minorité. Il a l'air d'aller et venir à sa guise, tantôt il est là, tantôt il se dérobe. Pour cette raison, nombre de créateurs craignent de perdre soudain leur talent. Ils ne savent pas comment ils l'ont obtenu et pas davantage comment le retrouver s'il disparaissait.

Les créateurs fonctionnent d'ordinaire comme des canaux dans un seul domaine de leur vie (par exemple l'art, la science ou les affaires). Ils ne savent pas du tout fonctionner ainsi dans les autres domaines, d'où, souvent, de terribles déséquilibres. (Reportez-vous à la partie concernant les gens très intuitifs dans le chapitre "Confiance en l'intuition").

Je crois que nous sommes tous des génies, chacun à notre manière, qui est unique. Nous découvrirons la nature de notre génie particulier quand nous renoncerons à essayer de nous conformer à nos propres modèles, ou à ceux des autres, et quand nous apprendrons à être nous-mêmes et laisserons s'ouvrir notre canal naturel. En se fiant à l'intuition et en agissant d'après elle, il est possible de vivre comme un canal à chaque instant et dans tous les domaines de la vie.

Quand je parle de canal, j'imagine un tuyau long et rond à travers lequel circule l'énergie. Il ressemble à un tuyau d'orgue, d'où sort la musique. Cette image du canal comporte trois caractéristiques importantes :

1. Il est ouvert et non obstrué à l'intérieur, de telle sorte que l'énergie circule librement.
2. Il a une forme physique définie ; une structure entoure l'espace ouvert et ainsi l'énergie est orientée dans une direction définie. Sans cette structure, l'énergie flotterait librement, sans forme.
3. Cette énergie a une source de puissance, quelque chose qui la fait circuler dans le canal.

Dans un orgue, la source de puissance (l'orgue), envoie l'énergie à travers les tuyaux ouverts. Cette combinaison particulière d'espace ouvert dans chaque tuyau et de structure (taille et forme du tuyau) produisent le son d'une certaine note. La source de puissance est la même pour tous les tuyaux et l'énergie qui circule en eux est la même, mais chacun, ayant une forme et une taille différente, émet un son unique.

Nous pouvons nous considérer comme des canaux semblables à ces tuyaux. La source nous est commune (l'univers) et la même énergie créatrice circule à travers chacun de nous. Notre corps et notre personnalité forment la structure qui détermine la direction et la fonction unique de chacun d'entre nous en tant que canal. C'est à nous qu'il appartient de garder le canal ouvert et propre, de construire et de conserver forte, saine et belle notre structure corps/personnalité, véhicule de notre énergie créatrice. Nous pouvons le faire en pensant constamment à nous accorder, en nous demandant où veut aller l'énergie et en suivant son mouvement.

Une structure corps/personnalité solide ne s'obtient pas en mangeant certains aliments, en pratiquant certains exercices, ou en vivant selon les règles ou bonnes idées de n'importe qui. *Nous la créons en faisant confiance à notre intuition et en apprenant à nous laisser guider par elle.* Quand notre voix intérieure nous dit ce que nous devons manger, comment nous entraîner ou tout autre chose, nous pouvons être certains que ses conseils renforceront notre faculté de canaliser, et peu importe s'ils semblent aller à l'encontre de nos idées préconçues sur ce qui est bon pour nous.

Nous avons tous déjà été dans une certaine mesure un canal, inconsciemment et sporadiquement. L'histoire vraie que voici en est un excellent exemple : une amie se trouvait récemment dans un magasin d'animaux, où elle vit un perroquet vendu à un prix très raisonnable. Elle avait toujours eu envie d'un perroquet, mais n'avait jamais eu les moyens de s'en offrir un. A ce moment-là, elle n'avait même pas assez d'argent pour payer son loyer. Elle quitta le magasin en regrettant de ne pouvoir profiter de la bonne occasion. Elle s'efforça d'oublier, mais le perroquet la hantait. Le simple fait d'envisager un tel achat lui semblait absurde. Néanmoins, deux jours plus tard, elle décida de retourner dans le magasin et de donner l'argent destiné à son loyer pour retenir l'oiseau, non sans se demander si elle n'avait pas perdu la tête.

En route, elle se dit que si sa décision n'était pas juste, quelqu'un allait avoir acheté l'oiseau entre-temps. Cette pensée s'imposa à elle avec tant de force qu'elle se mit presque à courir jusqu'au magasin pour déposer l'argent avant qu'il ne soit trop tard. Le lendemain, alors qu'elle passait pour voir l'oiseau, le marchand lui dit : "Vous êtes venue au bon moment hier. Une heure plus tard, j'avais un autre client pour le perroquet."

A la fin de cette même journée, elle avait rendez-vous avec un client qui lui avança de façon inattendue une somme égale à celle qu'elle avait donnée la veille pour l'oiseau. Et quand elle rentra chez elle, son mari lui apprit que leur propriétaire avait appelé pour leur demander de retarder le paiement du loyer de quelques semaines, car elle partait en vacances !

Et comme si tout cela ne suffisait pas à prouver qu'elle avait eu raison de suivre son intuition, elle trouva le lendemain un nouvel emploi, avec une avance de salaire qui lui permit non seulement de s'acquitter de son loyer, mais encore régler le reste du prix de l'oiseau. Mon amie me confia s'être sentie ensuite emplie d'une force et d'une confiance immenses. "J'aimerais conserver ce sentiment tout le temps et par rapport à tous les événements de ma vie", me dit-elle.

Voilà un exemple parfait de canalisation spontanée. Vous avez peut-être eu une expérience analogue, où le fait de suivre votre intuition vous a apporté autant. Si tel est le cas, il vous reste maintenant à devenir plus conscient du processus de façon à pouvoir savoir quand vous êtes un canal, par opposition aux moments où vous bloquez, combattez ou essayez de contrôler l'énergie. Plus vous êtes disposé à vous abandonner à l'énergie qui est en vous, plus elle circulera puissamment.

J'apprends à suivre l'esprit qui est en moi partout où il veut me mener. A chaque instant, je vérifie que je sens bien l'énergie en moi et qu'elle me guide. Vivre ainsi me paraît merveilleux. J'y trouve joie, puissance, amour, paix et contentement, tout comme mon amie lorsqu'elle a obéi à son intuition et acheté le perroquet. Suivre cette puissance supérieure signifie que je m'engage par rapport à mon intuition. Je dois permettre à mes entrailles de s'exprimer, de me dire ce que je veux ou ne veux pas, puis je dois agir conformément à cette information. Dès que j'accepte vraiment de le faire, une puissance qui ne cesse de croître m'habite.

Je sais que nous avons tous eu à certains moments des expériences où nous avons senti la lumière et la puissance circuler en nous ; des moments où il nous semble presque entrevoir l'état d'illumination. Nous en avons un bref aperçu et ensuite il nous échappe à nouveau. Lorsqu'il a disparu, nous nous sentons perdus et nous doutons de nous.

Avec la pratique et en apprenant à faire confiance à votre intuition, vous changerez cette situation. Vous sentirez de plus en plus le flux d'énergie, jusqu'au jour où il ne vous quittera plus. Vous aurez alors à chaque instant l'impression d'être à votre place. Vous serez là où l'énergie vous sert le mieux, vous ferez ce dont vous aurez envie et vous verrez s'accomplir des miracles. Vous canaliserez l'énergie qui transformera les autres. Par exemple, il vous arrivera peut-être d'entrer dans une pièce et toutes les personnes présentes se sentiront soudain plus en accord avec elles-mêmes. Ou bien les gens qui vous croiseront dans la rue éprouveront un brusque changement dans leur énergie, sans savoir pourquoi.

Si vous décidez de vous fier à vous-même, tout change rapidement dans votre vie. Il se peut toutefois qu'au début, lorsque vous choisissez d'abandonner vos anciennes habitudes, toute votre vie vous semble se démanteler. Si vous allez jusqu'au bout de ce processus, vous finirez par abandonner tout ce à quoi vous étiez attaché. Mais il s'agira d'une expérience pleine de joie, car votre vrai bonheur provient de votre contact avec l'univers. Tous les aspects matériels de la vie représentent simplement une prime, le glaçage sur un gâteau, un jeu amusant que vous jouez en tant que canal pour l'univers.

Nous pouvons apprendre à vivre dans le monde de la forme - nos corps physiques, nos personnalités et le contexte physique - sans y être attachés. Jusqu'à présent, la plupart des gens ne se sont détachés de la forme qu'en quittant leur corps au moment de mourir. Rares sont ceux qui ont essayé de transcender leur attachement en se coupant des tentations du monde, en entrant dans un monastère ou en s'engageant dans une pratique spirituelle qui les en sépare.

Je prétends que nous pouvons avoir tout ce que le monde a à offrir, toutes les relations, la richesse, la beauté, la puissance et le plaisir que nous souhaitons, tout en étant prêts à y renoncer à tout moment. L'univers en nous est riche et puissant et intuitivement nous le savons ; nous savons déjà que nous avons tout ce qu'il nous faut, aussi n'avons-nous pas besoin de nous attacher à quoi que ce soit. Notre moi (corps/ego) sentant cependant qu'il mourra dépourvu de certaines choses, notre attachement se perpétue. Mais dès que nous apprenons à vivre comme canal, le moi (corps/ego) découvre que la joie de vivre et la plénitude proviennent de la relation avec l'univers intérieur, et non de choses extérieures. Graduellement, l'ego relâche son emprise et nous transcendons vraiment notre attachement.

## Rester centré

Pour devenir un canal, il est important que vous restiez centré sur votre relation avec l'univers. C'est ce centre qui permet à votre canal de rester ouvert à l'énergie qui y circule. Il est si facile de perdre son centre, de se perdre dans les autres, dans des objectifs extérieurs et des désirs. Et nous nous perdons, voilà le problème : nous perdons le contact avec l'univers à l'intérieur de nous. Aussi longtemps que nous nous tournerons vers l'extérieur, il y aura à l'intérieur de nous une place vide, affamée, désorientée, qui aura besoin d'être remplie.

Quand je reste centrée sur l'univers en moi, je peux tout avoir : l'argent, la réussite et des relations satisfaisantes, ainsi que cette incroyable connexion intérieure.

Si je m'éprends d'un homme et que je commence à penser à lui comme à la source de ma joie, je me perds. Je dois me rappeler que la source de l'amour et de la joie se trouve déjà en moi, que je fais l'expérience de l'amour à l'extérieur seulement parce qu'il est déjà en moi. J'essaie de rester centrée sur l'univers en moi et, en même temps, de voir l'univers venir à moi par l'intermédiaire de l'homme que j'aime.

Il en va de même quand les gens me disent aimer mes ateliers. Je les remercie et je renvoie leur appréciation à l'univers en moi. Si je me laissais prendre à essayer de tout contrôler, l'univers ne pourrait pas circuler de moi à eux.

Ne pas oublier de faire un retour sur moi-même pour contacter mon intuition constitue pour moi une discipline constante. Je me rappelle plusieurs fois par jour que je dois le faire. Si je me surprends à me perdre dans mes activités extérieures, je vérifie à l'intérieur si je ne suis pas en train de trahir ce que je sens. L'univers peut ainsi continuer à circuler en moi.

**Vivre comme un canal**

Il y a deux façons de canaliser : soit l'énergie circule de vous vers les autres, soit des autres vers vous. Par exemple, pour écrire mon livre, je me centre sur l'énergie de l'univers qui circule de moi vers les autres. Puis quand les gens me disent : "J'aime votre livre, il a changé ma vie", je suis consciente que l'appréciation vient d'eux à moi et retourne à l'univers.

Plus vous aurez conscience du flot universel qui circule en

vous, en chacun et en toute chose, plus votre corps sera capable de canaliser de l'énergie. Plus vous accepterez de recevoir l'énergie, plus vous pourrez en donner.

Devenir un canal clair pour l'univers est le plus grand défi qui nous est lancé et la plus belle promesse de joie et de plénitude pour chaque être humain. Etre un canal signifie vivre pleinement et passionnément dans le monde, avoir des relations profondes, jouer, travailler, créer, profiter de l'argent et des biens matériels, en étant entièrement soi-même, sans jamais perdre un instant le lien profond avec la puissance de l'univers en soi.

Vous pourrez voir alors l'univers créer à travers vous ; il se servira de vous pour accomplir son œuvre. Vivre comme un canal est une expérience à la portée de tous ceux qui sont prêts à s'engager vis-à-vis d'eux-mêmes.

## Canaliser en groupe

En apprenant à nous fier à notre intuition et à la suivre , nous apprenons à ouvrir et à fortifier notre canal individuel, laissant passer ainsi à travers nous plus de puissance, de créativité et d'amour. Quand nous nous réunissons dans une relation à deux ou en groupe, chacun de nos canaux individuels devient une partie d'un canal plus grand. Un canal de groupe se crée, plus puissant que chaque canal individuel.

Lorsque plusieurs corps et plusieurs esprits acceptent de s'abandonner, de s'ouvrir et de grandir, ces énergies conjuguées créent une structure solide et ouverte, qui accueille beaucoup plus d'énergie de l'univers. Le processus s'intensifie énormément et chacun reçoit un "coup" d'énergie qui peut le pousser au niveau suivant de sa croissance. Même si nous en sommes probablement à des stades différents et si nous vivons des choses différentes, chacun reçoit l'inspiration, l'aide, la poussée ou ce dont il a besoin pour pouvoir aborder l'étape suivante de son voyage. Un canal de groupe peut nous ouvrir à un niveau de conscience plus profond et, dans ce processus, nous partageons plus de nous-mêmes et découvrons que nous sommes libérés de ce qui nous empêchait d'avancer.

C'est l'une des raisons pour lesquelles j'aime enseigner dans des ateliers et travailler avec des groupes. Mes amis m'appellent "fana d'énergie", parce que je suis toujours attirée par des situations où l'énergie est la plus intense et circule le plus. J'apprécie de voir que mon évolution personnelle est accélérée par l'intensité du phénomène de groupe.

Je ne suis plus de schéma défini dans mes ateliers. Je préfère créer un canal de groupe, puis l'univers prend les rênes et guide le groupe. Mon travail consiste à faciliter, à partager mon processus pour apprendre à devenir un canal et à encourager les autres à entreprendre aussi cette démarche.

Quand tout le monde s'ouvre et s'abandonne, le canal de groupe est créé. Cette manière de faire amène parfois de la confusion ou du désordre, car l'animateur ne "contrôle" pas dans le sens ordinaire du mot. Je risque aussi de provoquer des angoisses chez moi comme chez les autres, mais j'ai découvert que si j'accepte de dépasser ces angoisses, quelque chose de très beau et de très puissant émerge du canal de groupe. L'univers nous mène en des endroits nouveaux, que nous n'aurions jamais connus en restant dans une structure plus formelle. Je trouve le processus de canalisation de groupe très stimulant et gratifiant.

Dans un sens, tout être vivant sur cette planète fait partie d'un gigantesque canal de groupe, la conscience collective de l'humanité. Le monde actuel est la création de ce canal de groupe. Chaque fois que l'un d'entre nous s'abandonne, en tant qu'individu, à la puissance de l'univers, et permet à cette puissance de nous transformer et de nous rendre plus conscients, le canal de groupe en est modifié. La conscience collective évolue de plus en plus. Selon moi, la transformation de notre monde sera à ce prix.

**Méditation.**

Assis ou couché dans une position confortable, fermez les yeux. Respirez profondément et détendez votre corps. Respirez encore une fois profondément et détendez votre esprit. Respirez

encore et laissez-vous aller complètement. A mesure que vous
vous détendez, vous vous retirez dans un endroit paisible tout au
fond de vous. C'est la partie la plus profonde de vous-même.
Prenez le temps de vous reposer dans cet endroit quelques ins-
tants, sans avoir rien à faire ni à penser.

A partir de cet endroit profond et paisible, demandez à l'esprit
de l'univers de circuler en vous. Affirmez votre volonté d'être un
canal pour l'univers. Sentez cette puissance, cette sagesse et cette créativité en vous.

Vous êtes un canal. Voyez circuler votre énergie vers les autres. Sachez qu'en suivant votre guide intérieur, vous manifestez
votre créativité dans le monde. Représentez-vous ce phénomène
par une image. Soyez ouvert à toute image qui surgit. Imaginez
ce que vous ressentiriez si cela vous arrivait maintenant. Vous
êtes un canal ouvert à l'univers.

La lumière et la puissance qui s'écoulent de vous vers votre
vie et vers les autres vous emplit.

**Exercice.**

Chacun est un canal pour l'univers. Dans cet exercice, je vous
demande de vous en pénétrer pendant une journée entière. Il
vous sera facile ensuite de passer à une pratique quotidienne.

En commençant votre journée, avant de vous lever, passez
quelques minutes à vous voir comme un canal de l'univers. Sentez l'énergie dans votre corps et soyez conscient de votre faculté
à canaliser la lumière vers les autres. Avec chaque personne que
vous rencontrez, dans chacun de vos échanges, rendez-vous
compte que la lumière de l'univers circule de vous à eux. Inver-
sement, centrez-vous sur le canal des personnes avec lesquelles
vous vous trouvez et voyez qu'à chaque échange avec elles, c'est
l'univers qui s'adresse à vous. Lorsque vous saurez reconnaître
votre propre puissance et celle des autres, la lumière grandira.
Vous commencerez à percevoir clairement ce que chaque situation a à vous offrir.

# CHAPITRE V

# LE MONDE, NOTRE MIROIR

Le monde physique est notre création : chacun de nous crée sa propre vision du monde, sa réalité particulière, son expérience unique de la vie. Puisque ma vie est créée par mon canal, elle me renvoie une image de moi-même. Tout comme l'artiste examine sa dernière œuvre pour voir ce qui va et ce qui ne va pas, nous pouvons regarder l'œuvre en cours de nos vies afin de voir qui nous sommes et d'évaluer ce qu'il nous reste à apprendre.

Nous créons nos vies à chaque instant ; nos expériences et nos besoins nous renvoient donc une image sur le vif de nous-mêmes. En fait, le monde extérieur est une sorte de miroir géant qui reflète avec clarté et précision à la fois nos esprits et nos formes. A partir du moment où nous avons appris à le regarder et à percevoir et interpréter ce qu'il reflète, nous disposons d'un outil fabuleux.

## Le procédé du miroir.

Le procédé du miroir est une technique destinée à nous aider à voir le monde comme un miroir. Perçu de cette façon, le monde extérieur peut nous révéler des aspects cachés de nous-mêmes, qui ne se laissent pas saisir directement. Ce procédé repose sur deux principes :

1. Je considère que *tout* dans ma vie est le reflet de moi-même, ma création ; il n'y a pas d'accidents ni d'événements dépourvus

de rapport avec moi. Si je vois ou si je sens quelque chose qui a la moindre influence sur moi, cela signifie que mon être l'a provoqué ou créé dans un certain but. Si cette chose ne reflétait pas un aspect de moi-même, je ne la verrais même pas. Tous les gens qui font partie de ma vie sont les reflets des différents caractères et sentiments qui m'habitent.

2. Je ne me laisse jamais aller à me condamner en fonction des images qui me sont renvoyées. Je sais que rien n'est négatif. Il n'y a que des cadeaux qui me conduisent à la conscience de moi-même ; après tout, je suis ici pour apprendre. Si j'étais déjà parfaite, je ne serais pas là. Pourquoi me facherais-je contre moi-même quand je vois des choses dont je n'avais pas conscience auparavant ? Je ressemblerais à une élève de sixième qui s'énerve parce qu'elle n'est pas encore à l'université. J'essaie de conserver une attitude de compassion vis-à-vis de moi-même et de mon apprentissage. Dans la mesure du possible, je rends même cet apprentissage amusant et tout à fait passionnant.

J'apprends à considérer ma vie comme un film d'aventures fascinant. Tous les personnages de ce film représentent des parties de moi-même, jouées sur grand écran afin que je puisse clairement les voir. Une fois que je les vois et que je trouve leurs divers sentiments et leurs voix en moi-même, il m'est facile de choisir les personnages que je vais garder et développer, et d'abandonner les autres ou de les transformer.

Si le film met en scène des problèmes, des difficultée ou des combats, je sais que je dois procéder à un examen intérieur pour trouver où je ne suis pas moi-même. Je sais aussi que si je suis confiante et si je suis moi-même aussi pleinement que possible, tout dans ma vie le reflète en s'organisant facilement, souvent d'une façon miraculeuse.

## Les problèmes sont des messages.

A travers les problèmes que vous rencontrez, l'univers essaie d'attirer votre attention. Il vous dit : "Il faut que tu prennes conscience de ceci, il faut changer cela !". Si vous tenez compte des petits signaux, vous apprendrez grâce à eux ; si vous les ignorez, les problèmes vont s'aggraver jusqu'au moment où vous recevrez le message et commencerez à y prêter attention. Si vous admettez qu'à travers chaque problème, l'univers vous montre quelque chose, vous ferez de rapides progrès dans votre voyage à la découverte de vous-même.

Quand survient un événement négatif, on a tendance à se dire : "Pourquoi cela m'arrive-t-il ? Je fais de mon mieux, mais tout va de travers. Je ne comprends pas pourquoi je me heurte encore à ce problème". Si vous vous surprenez avec ce genre de pensées, essayez de vous ouvrir à une autre façon de voir les choses. Rentrez en vous et dites à l'univers : "Je sais que tu essaies de me montrer quelque chose. Aide-moi à comprendre de quoi il s'agit".

Cela fait, portez votre attention ailleurs, mais restez à l'écoute du message qui viendra. Il pourra se présenter sous la forme d'un sentiment ou d'une prise de conscience en vous, de quelques mots prononcés par un ami ou d'un événement inattendu. Vous recevrez ce message très vite ou après un certain temps. Il y a deux ans, l'un de mes clients perdit son emploi de façon tout à fait inattendue. Il fut d'abord anéanti, mais au bout d'un mois, il se ressaisit et monta sa propre affaire. Il réussit très bien, mais il n'a finalement "capté" que depuis quelques semaines le message que reflétait sa perte d'emploi. En discutant avec un ami sur le fait d'être employé par d'autres, il se rendit soudain compte de la signification de son renvoi : il lui convenait beaucoup mieux de travailler à son compte que pour d'autres. Non seulement cette prise de conscience le conforta dans son mode de vie actuel, mais il effaça aussi le sentiment d'inachevé qui subsistait en lui depuis son renvoi.

## L'interprétation du reflet.

L'aspect le plus délicat du procédé du miroir consiste à apprendre à interpréter le reflet que l'on voit. Quand vous recevez un message, mais qu'il vous laisse un peu perplexe, comment faites-vous ?

L'analyser et y réfléchir avec votre esprit rationnel ne vous sera d'aucun secours. Il vous sera de loin plus utile de vous tourner vers votre moi intérieur pour demander l'aide de l'univers. Asseyez-vous simplement avec calme, respirez plusieurs fois à fond et concentrez-vous sur l'intérieur, sur l'être éclairé en vous qui est en contact avec la sagesse de l'univers. Demandez-lui, silencieusement ou à haute voix, de vous aider à comprendre le message. Mettez-vous en accord avec votre être profond et, acquérant le sens de ce qui vous semble juste pour vous sur le moment, réglez votre action en conséquence.

Ensuite, essayez d'être conscient des retombées extérieures et intérieures de votre action. Par retombées extérieures, j'entends la façon dont les choses marchent. Se mettent-elles en place et marchent-elles bien ? Dans ce cas, vous êtes certainement en accord avec votre guide intérieur. Si vous devez lutter pour quelque chose qui ne se produit pas facilement, il s'agit d'un message vous invitant à lâcher prise et à retourner vérifier ce que vous voulez réellement faire.

Les retombées intérieures se manifesteront à vous sous la forme de sentiments. Si vous vous sentez plus puissant, plus vivant, l'action est juste. Le sentiment d'*être vivant* constitue la clé fondamentale. Plus l'univers circule en vous, plus vous vous sentez vivant. A l'inverse, chaque fois que vous ne suivez pas votre guide intérieur, vous éprouvez une perte d'énergie, de puissance et un sentiment d'engourdissement spirituel.

Etant fidèle à votre vérité, vous vous sentirez plus vivant, mais peut-être aussi mal à l'aise. Vous risquez en effet de changer ! Lorsque vous subirez certains changements, il se pourra que vous éprouviez des émotions intenses. Laissez s'exprimer ces émotions ; après tout, votre voix intérieure doit traverser des années d'inconscience, de doute et de peur accumulés. Aussi permettez simplement à ces sentiments de remonter et de s'écouler par vous, la lumière apportera purification et guérison.

Les retombées extérieures reflèteront aussi éventuellement ces sentiments : vos doutes et vos craintes se reflèteront souvent dans les réactions de votre entourage. Si vos amis et votre famille mettent en question et jugent les changements qui s'opèrent en vous, reconnaissez qu'ils sont les simples miroirs des voix du doute et de la peur en vous. Par exemple : "Et si je me trompais ? Puis-je vraiment faire confiance à ce processus ?".

Répondez à ce type de réaction que vous renvoient les autres de la façon qui vous semblera appropriée : rassurez-les, ignorez-les, discutez avec eux, libre à vous. L'important c'est de reconnaître que vous êtes en réalité en train de traiter avec vos craintes intérieures. Affirmez que vous apprenez de plus en plus à vous faire confiance. Vous serez étonné de voir comment les autres reflèteront aussitôt l'augmentation de votre confiance en vous et de votre assurance en vous renvoyant confiance et assurance.

Souvenez-vous :
Si vous vous jugez, si vous critiquez, les autres vous jugeront et vous critiqueront.
Si vous vous faites du mal, les autres vous feront du mal.
Si vous vous mentez, les autres vous mentiront.
Si vous êtes irresponsable face à vous-même, les autres se montreront irresponsables dans leur relation avec vous.
Si vous vous faites des reproches, les autres vous en feront.
Si vous vous faites violence émotionnelle, les autres vous feront violence émotionnelle même physiquement.
Si vous n'écoutez pas vos sentiments, personne ne les écoutera.
Si vous vous aimez, les autres vous aimeront.
Si vous avez du respect pour vous-même, les autres vous respecteront.
Si vous avez confiance en vous, les autres vous feront confiance.
Si vous êtes honnête avec vous même, les autres seront honnêtes envers vous.
Si vous vous montrez doux et compatissant envers vous-même, les autres vous traiteront avec compassion.
Si vous avez de l'estime pour vous, les autres vous estimeront.
Si vous vous honorez, les autres vous honoreront.
Si vous vous appréciez, les autres vous apprécieront.

## Le changement des vieilles habitudes.

Il est très important de se rendre compte que nous ne sommes peut-être pas capables de changer nos vieilles habitudes du jour au lendemain. Les choses semblent parfois changer rapidement, dès qu'on a capté le message, mais à d'autres moments, on a l'impression de se répéter et d'obtenir toujours les mêmes résultats désagréables, alors qu'on estime avoir compris le problème depuis longtemps. L'ego a besoin de temps pour changer ses habitudes, aussi devons-nous supporter de voir repasser plusieurs fois le même mauvais film.

Si vous jugez vos progrès trop lents, demandez l'aide de l'univers et répétez-vous que la situation *changera* bientôt. Le changement ne survient pas quand vous essayez de *vous changer,* mais quand vous prenez conscience de ce qui ne va pas. Vous pouvez alors demander de l'aide à votre moi supérieur pour abandonner l'ancien schéma et en prendre un nouveau. Souvenez-vous, l'heure la plus sombre vient juste avant l'aube, le changement se produit souvent au moment précis où vous renoncez, ou quand vous l'attendez le moins.

## Le procédé du miroir.

Il vous faut traiter avec les réalités extérieures de votre vie de la façon la plus appropriée. Mais pour vous servir du monde comme de votre miroir, dès que possible, avant, pendant ou après avoir eu affaire à l'extérieur, rentrez en vous pour comprendre le message.

Si, par exemple, quelqu'un se fâche contre vous, vous adresse des reproches ou des critiques, vous serez peut-être amené à dire : "Arrêtez. Je ne veux pas de vos jugements et de vos critiques. Si vous pouvez exprimer ce que vous *ressentez,* je vous écouterai volontiers, mais si vous continuez à m'attaquer, je m'en vais". Si la personne devient plus responsable de ce qu'elle ressent (par exemple : "J'étais peiné et fâché parce que tu ne m'as pas appelé hier"), vous serez probablement en mesure de poursuivre la conversation sur un plan plus constructif. Si elle continue à vous blâmer et à se fixer sur "vos problèmes", vous vous rendrez service à vous-même en quittant la pièce pour échapper à l'agression.

Dans les deux cas, vous avez réglé la situation *extérieure*. Maintenant, dès que vous en avez la possibilité, rentrez en vous et demandez-vous : "Que reflète en moi la colère de cette personne ?". Peut-être découvrirez-vous que vous étiez récemment très fâché et très critique à l'égard de vous-même, ou bien que votre moi intérieur est perturbé parce que vous ne vous êtes pas accordé d'attention ces derniers temps. Quand les autres se montrent plus exigeants envers vous, c'est en général le signe que vous attendez davantage de vous-même.

Une de mes amies apprit que son compagnon avait une relation avec une autre femme et lui mentait à ce sujet. Cette découverte la blessa et la fâcha beaucoup. Elle lui exprima ses sentiments et lui demanda de partir. Elle avait besoin d'être seule pour voir plus clair en elle.

Une fois seule, elle se demanda : "Est-ce que d'une certaine manière je ne me mens pas à moi-même ? Est-ce que je ne suis pas totalement vraie et honnête avec moi-même, ce qui me conduirait à attirer un homme malhonnête ?" Elle interrompit cette réflexion pour aller travailler. Vers la fin de la journée, elle eut conscience d'avoir souvent ressenti que cet homme n'était pas complètement présent à elle, qu'il n'était pas réellement là. Mais dans le passé, elle avait refoulé cette impression, redoutant de provoquer une confrontation avec son ami à partir de ce qu'elle sentait et savait intuitivement. Elle se mentait donc à elle-même et soutenait par conséquent son ami dans sa malhonnêteté.

Elle vit là une leçon pour apprendre à se fier de plus en plus à ses sentiments et avoir le courage de les exprimer. Elle se mit à agir de la sorte avec son ami et ils en arrivèrent à communiquer honnêtement dans leur relation. Elle aurait aussi pu choisir de ne pas poursuivre cette relation. L'important est le cadeau qu'elle en a reçu, apprendre à faire confiance à ses sentiments et à les exprimer.

Si vous êtes émotionnellement touché par la conduite d'une autre personne, vous constituez sans doute elle et vous des miroirs l'un pour l'autre. Il se peut que vous ayez des points de vue opposés, mais intérieurement, vous êtes probablement très semblables. L'un de vous manifeste à l'extérieur un aspect du conflit intérieur, pendant que l'autre en manifeste l'autre aspect.

Par exemple, une personne veut s'engager davantage dans une relation, pendant que l'autre veut plus de liberté. Elles se polarisent complètement sur la question et croient vraiment que leurs désirs sont contradictoires. Toutefois, si l'une d'elles change soudain de position (celle qui souhaite un plus grand engagement veut tout à coup la liberté), l'autre glissera presque toujours vers le pôle opposé. L'explication est la suivante : ils tentent *tous les deux* de résoudre le même conflit intérieur, ils sont pris entre le désir d'intimité, de sécurité, et la peur de se laisser piéger.

Dès que les gens regardent en eux-mêmes et découvrent mieux leurs sentiments, ils reconnaissent souvent qu'ils ont simplement projeté leur conflit intérieur sur le monde extérieur de façon à pouvoir en prendre conscience et le résoudre. Si quelqu'un veut vraiment et sans équivoque s'engager dans une relation, il attirera tout naturellement quelqu'un qui veut la même chose. Si quelqu'un est tout à fait clair sur son désir d'explorer des relations multiples, il le fait sans problèmes. En utilisant le procédé du miroir, vous pouvez voir ce que vous ressentez vraiment et apprendre à être plus honnête avec vous-même. Une fois que vous avez identifié un conflit interne, vous pouvez demander à l'univers de vous aider à le résoudre et à intégrer vos sentiments.

Voir le monde comme un miroir de vous-même vous donne aussi l'occasion merveilleuse de recevoir des reflets positifs. Pensez à tout ce que vous aimez et appréciez dans votre vie présente. Vous avez créé ces choses-là, elles aussi sont vos miroirs. Pensez aux gens que vous connaissez, aimez, appréciez, respectez et admirez. Ils sont pour vous des miroirs. Ils n'auraient pas de place dans votre vie s'ils ne vous reflétaient pas. Vous ne sauriez pas reconnaître leurs qualités positives si vous n'en possédiez pas de semblables. Pensez aux gens et aux animaux qui vous aiment. Ils sont le miroir de l'amour que vous vous portez. Si vous avez une maison que vous aimez, ou un endroit dans la nature que vous trouvez particulièrement beau, ils sont le miroir de votre propre beauté. Quand vous voyez la beauté partout, il s'agit d'un reflet de vous-même.

Les miroirs sont partout. Chaque fois qu'il y a relation, il y a miroir, et plus la relation est profonde, plus puissant est le miroir. Il est assez amusant d'utiliser le procédé du miroir pour découvrir qui nous sommes au travers des reflets extérieurs. La clé, c'est toujours rentrer en soi pour chercher la signification du reflet. Plus vous le ferez, sans vous dérober sous des rationalisations, ni vous faire des reproches, plus vite vous atteindrez votre potentiel maximum.

## Méditation.

Détendez-vous et fermez les yeux. Respirez plusieurs fois profondément, lentement, et rentrez en vous-même. Evoquez une personne ou un objet de votre vie et demandez-lui quel reflet il vous renvoie. Restez ouvert pour recevoir la réponse, qu'elle vous parvienne sous forme de mots, de sensations ou d'images.

## Exercices.

1. Pensez à une personne que vous aimez ou que vous admirez particulièrement. Dressez la liste de ses qualités positives. Voyez comment ces qualités vous reflètent. Dans certains cas, il y aura des qualités que vous n'avez pas encore pleinement développées en vous. Reconnaissez que cette personne est là pour vous instruire et vous inspirer par son exemple.

2. Faites la liste de toutes les personnes et de tous les objets de votre vie que vous aimez. Félicitez-vous et appréciez-vous pour avoir créé et attiré ces miroirs.

# CHAPITRE VI

# L'ESPRIT ET LA FORME

L'esprit est l'essence de la conscience, l'énergie universelle créatrice de toutes choses. Chacun de nous est une partie de cet esprit, une entité divine. L'esprit est donc le moi supérieur, l'être éternel qui vit en nous.

La forme est le monde physique. En tant qu'individu, ma forme est mon corps physique, mon esprit et ma personnalité. C'est aussi l'idée que je me fais de moi-même, ma structure ego/identité :
"Je m'appelle shakti Gawain. Je suis née le 30 septembre 1948. Je mesure 1 m 72 et je pèse 60 kilos. Je suis intelligente et d'une nature plutôt expansive." Ce sont des informations sur ma forme.

En tant qu'êtres spirituels, nous avons créé le monde physique comme lieu d'apprentissage. Il est notre école, notre terrain de jeu, notre atelier d'artiste. Je crois que nous sommes sur terre pour apprendre à maîtriser le processus de la création, pour apprendre à canaliser consciemment l'énergie créatrice de l'esprit dans une forme physique.

Les physiciens découvrent actuellement ce que les métaphysiciens proclament depuis des milliers d'années : la matière, en apparence solide, est en réalité faite d'énergie. Si nous regardons un objet solide à l'aide d'un microscope puissant, nous voyons un nombre infini de petites particules en mouvement. Si nous examinons de près l'une de ces particules, nous découvrons qu'elle est faite de particules encore plus petites et ainsi de suite. C'est un fait : tout ce qui est physique est fait "d'énergie", que nous pouvons aussi appeler "esprit" ou "univers". La science moderne confirme donc l'ancienne affirmation métaphysique selon laquelle la forme est une création de l'esprit.

Quand notre esprit décide de se manifester sous une forme physique, il commence par créer un corps physique qu'il va habiter. Nous choisissons une situation et créons le corps que nous estimons le plus apte à nous servir et à nous instruire dans cette vie. Notre but final est de créer un corps/personnalité capable d'exprimer pleinement notre esprit créateur divin, une forme capable d'exécuter facilement, habilement et avec grâce tout ce que souhaite notre esprit.

Cependant, le monde physique existe à un niveau relativement primitif de la création, comparé à la conscience de nos esprits. J'ai lu récemment dans un article scientifique que le corps et le cerveau humains avaient très peu évolué depuis la préhistoire. Des êtres très évolués se trouvent donc incarnés dans des formes relativement simples et inévoluées. Ces formes possèdent une certaine conscience propre se rapportant aux questions de survie : manger, s'abriter, obtenir la nourriture affective, se protéger du danger, assurer la reproduction et la survie de la progéniture.

Une fois nés dans notre corps, nous oublions qui nous sommes vraiment et la raison de notre venue ici. Nous nous assimilons à la conscience de "survie" du monde physique, nous nous égarons dans le monde de la forme. Oubliant nos esprits, nous ne croyons être que nos personnalités. Nous ne sommes plus en contact avec notre vraie puissance, nous nous sentons perdus et sans ressources. La vie tourne en une grande lutte terrible pour trouver un sens et une satisfaction.

Nous pouvons rester pris dans ce cycle durant de nombreuses vies. La plupart d'entre nous ont certainement passé bien des années de leur vie actuelle à chercher hors d'eux-mêmes, à essayer de trouver la plénitude dans le monde de la forme. Finalement nous nous rendons compte de notre échec : quoi que nous fassions dans le monde, nous n'y trouvons pas le bonheur. Nous devenons alors opposés à l'idée de consacrer encore une vie, un an ou même une minute de plus à cette bagarre futile. De guerre lasse, frustrés, nous renonçons.

Il s'agit en général d'une étape pénible et effrayante dans la vie de quelqu'un, on a l'impression de toucher le fond. C'est un moment de mort pour l'ego ; la forme corps/esprit reconnaît la vanité d'essayer de vivre ainsi et abandonne la lutte. Elle préférerait mourir plutôt que de continuer à essayer. Aussi à cette époque, la personne a souvent des pensées et des sentiments de mort, ou bien elle fait l'expérience de la mort d'un proche ou d'un membre de sa famille (ou de plusieurs). Dans ces moments-là, certains se créent une maladie sérieuse, un accident ou toute autre crise majeure et d'autres envisagent le suicide ou passent même à l'acte.

Mais l'heure la plus sombre vient *vraiment* juste avant l'aube. Quand finalement nous abandonnons la lutte pour trouver la plénitude "dehors", nous n'avons nulle part où aller si ce n'est en nous-mêmes. En cet instant de total abandon, la lumière commence à poindre. Alors que nous nous attendons à toucher le fond, nous débouchons par une trappe sur un nouveau monde lumineux. Nous avons redécouvert le monde de notre esprit.

C'est une sorte de renaissance. Nous sommes de jeunes enfants dans ce monde nouveau et nous ne savons pas comment y vivre, du fait qu'aucune de nos anciennes façons de faire n'y fonctionne. Nous éprouvons de l'incertitude et une perte de contrôle parce que notre ego ne domine plus. Mais l'espoir renaît en nous et nous commençons à nous ouvrir à la puissance et à l'inspiration. A partir de là, nous allons vers une "illumination" progressive.

Ram Dass a une très belle comparaison pour ce processus. Il évoque une horloge ayant midi comme point de départ. De midi à trois heures, la vie s'égare totalement dans l'illusion de la forme ; de trois à six heures, se produit peu à peu la "désillusion" par rapport au monde et à six heures, on touche le fond. On a l'impression d'avoir tout perdu, mais passé six heures, on s'éveille en vérité à l'esprit. De six heures à midi, c'est l'illumination toujours croissante. En tant qu'individus, nous nous trouvons à des stades différents de ce processus. Dès le moment où nous sommes suffisamment éveillés pour en parler, nous n'avons plus à douter d'être dans la lumière. J'ai le sentiment que chacun de nous a un cycle majeur de ce type qui dure plusieurs vies physiques et aussi un nombre infini de cycles mineurs, quelquefois presque quotidiens ! J'ai aussi le sentiment que la conscience collective de notre monde est juste en train de passer le cap de six heures.

Lorsque nous redécouvrons notre esprit, en tant qu'individus, nous sommes d'abord en général portés à nourrir et à cultiver cet éveil, ce qui implique souvent un certain degré de retrait du monde et de retour à soi. Pour les uns, cela consiste à passer du temps dans la nature, pour les autres, à méditer, à se retirer, etc... Certains chercheront tout simplement à avoir du temps pour être seuls et tranquilles. Il s'agit souvent d'une période où nous nous dégageons partiellement ou complètement de nos relations avec les autres, de notre travail ou d'autres attaches qui tendent à nous tirer hors de nous-mêmes. Chez certains, cette phase peut durer toute une vie ou plus ; chez d'autres, elle peut prendre seulement quelques semaines ou quelques mois. Chaque entité est unique, aussi faisons-nous l'expérience de ce déplacement vers l'intérieur de différentes manières. D'une façon ou d'une autre, nous apprenons à aller au dedans et à habiter cet endroit plus calme en nous pendant un moment. C'est là que nous entrons en contact de plus en plus profond avec notre esprit.

Pendant que nous nous sentons profondément en contact avec nous-mêmes de cette façon, nous découvrons souvent une sensation de clarté, de vision, de sagesse, de puissance et d'amour. En effet, nos esprits sont déjà hautement évolués. Ils sont déjà immergés dans la vérité et la lumière. Aussi, dès que nous faisons le contact, nous "montons" temporairement assez haut, c'est une expérience d'illumination momentanée.

Le problème vient du fait que notre forme n'a pas encore évolué. Elle a juste abandonné ses anciennes habitudes, elle est morte, née à nouveau, et se trouve maintenant à un stade infantile, sans savoir quoi faire. Si nous la prenons par la main et commençons à la guider et à l'instruire, elle apprendra très vite un nouveau mode de vie. Toutefois, elle a encore tous ses vieux mémoires, schémas et programmes du monde ancien et elle essaie sans cesse d'y revenir.

Voilà la difficulté dans laquelle nous nous trouvons tous couramment, une énorme opposition entre notre esprit et notre forme. L'esprit est très puissant et créateur, et il voudrait faire beaucoup de choses pour s'exprimer dans le monde physique, mais il lui faut à cet effet la forme comme véhicule. La forme aimerait bien, mais elle n'est pas encore capable d'aller là où veut aller l'esprit. Elle a besoin d'apprendre et de se transformer grâce à la puissance et à la sagesse de l'esprit.

## Surmonter l'opposition.

Etre un esprit très évolué dans une forme assez peu évoluée est plutôt inconfortable. Cela explique la plupart de nos problèmes. Nous sommes comme des dieux et des déesses vivant dans des taudis boueux et conduisant de vieux tacots branlants et poussifs. Nous avons de quoi être frustrés et humiliés, surtout si personne ne reconnaît qui nous sommes ! Quand nous ne nous rappelions pas qui nous sommes, ce n'était pas trop grave ; nous acceptions la situation comme étant notre lot dans la vie. Mais maintenant que nous nous souvenons de notre identité réelle, il peut nous arriver de nous sentir piégés dans un monde étranger.

A partir de cette compréhension, nous pouvons expliquer toutes sortes de choses dont nous sommes nombreux à faire l'expérience dans nos vies. Pourquoi avons-nous de merveilleux moments de conscience et de clarté, pour nous retrouver ensuite sans recul, à nouveau submergés par la peur et la souffrance ? Comment pouvons-nous nous sentir si pleins d'amour, de sagesse et d'acceptation un jour et, le lendemain, si agressifs, bornés et prompts à la critique ? Pourquoi avons-nous l'impression "d'avoir compris" au cours d'un atelier et, le jour suivant, que

notre compréhension nous "a échappé" ? Comment pouvons-
nous nous sentir si calmes et détachés quand nous méditons,
alors que nos relations n'ont jamais été aussi mauvaises ? Comment pouvons-nous avoir une telle confiance en l'abondance de
l'univers, alors que nous nous débattons avec des problèmes financiers ?

La réponse est simple : nous sommes aux prises avec l'opposition entre l'esprit et la forme. Nous nous trouvons devant une
grande difficulté, face à un vrai défi. Beaucoup de gens attei-
gnent ce point et ont du mal à aller plus loin.

Dans le cheminement spirituel traditionnel, nous restons plus
ou moins à l'écart du monde. De la sorte, nous pouvons être fidèles à notre esprit et éviter la confrontation avec les attaches et
les schémas de notre forme. Malheureusement, la forme n'a
alors plus l'occasion de se développer et, à la fin de notre vie,
nous quittons simplement notre corps pour passer sur l'autre
plan. Le monde physique n'a pas connu de transformation.

Pour créer le monde nouveau, nous sommes mis au défi de
revenir dans le monde de la forme avec notre pleine conscience
spirituelle. Il nous faut reconnaître l'opposition entre notre esprit
et notre forme, puis laisser l'esprit transformer le corps physique,
le mental et la personnalité en un puissant et beau canal par lequel il peut s'exprimer totalement.

**Intégrer l'esprit et la forme.**

Le premier pas dans le processus de transformation consciente
de votre forme, pour l'accorder à votre esprit, consiste à pouvoir
*reconnaître* et *sentir* à la fois la conscience de votre esprit et celle
de votre forme (personnalité/esprit/ego), un peu comme si deux
personnes vivaient en vous. Vous êtes peut-être habitué à ne
sentir la plupart du temps que l'une des deux, avec quelques
flashes occasionnels de l'autre. Ou bien vous allez sans arrêt de
l'une à l'autre, comme si l'une prenait pour un moment le
contrôle du corps et vous voyez les choses de son point de vue,
puis l'autre prend le dessus et tout vous semble soudain diffé-
rent.

J'ai par exemple souvent des idées inspirées et créatrices à propos d'un nouveau projet dans lequel je veux me lancer. J'ai une vision intense de sa valeur et de sa future réussite. Tout cela provient de mon esprit, bien sûr. Ravie, je saute à pieds joints dans ce projet, faisant toutes sortes de plans et entreprenant des actions pour lui. Quelques jours ou quelques semaines plus tard, je me sens complètement dépassée, surmenée, frustrée et prête à tout jeter par la fenêtre. La vision provenant de mon esprit était juste, mais j'essayais de la réaliser plus vite que ma forme n'en était capable. Arrivée à ce point, je dois m'arrêter et devenir réaliste par rapport à moi, puis mettre le projet de côté pour un temps ou m'accorder un délai pour qu'il se développe plus lentement. Mon esprit a tendance à foncer, il lui faut apprendre à se régler sur une allure compatible avec ma forme.

Le second pas consiste à *aimer* et à *accepter* ces deux aspects de vous-même ; ils constituent deux parties belles et vitales de vous. Sans votre esprit, vous ne seriez pas en vie, vous ne seriez qu'un corps mort ! Sans votre forme, vous ne pourriez pas être dans ce monde, vous existeriez sur un autre plan de conscience.

Vous vous impatienterez par moments de voir que la forme n'est pas encore capable de faire tout ce que veut votre esprit. Il est toutefois important de l'apprécier telle qu'elle est maintenant et de laisser l'intégration se produire à son rythme.

Par exemple, je vivais il y a quelques années avec un homme, nous avions une "relation ouverte" - autrement dit, nous étions libres d'avoir d'autres amants. J'avais un idéal spirituel très fort selon lequel je pouvais aimer quelqu'un profondément tout en lui permettant d'obéir à l'énergie qui l'entraînerait vers quelqu'un d'autre, et j'étais libre moi aussi. J'ai été quelquefois à la hauteur et j'ai connu des très beaux moments où je ressentais un amour inconditionnel, expansif et euphorique, une profonde intimité avec mon amant. J'éprouvais même parfois de l'amour pour ses autres partenaires ! Mais dans la plupart des cas, je me rongeais de jalousie et de souffrance affective. J'ai fini par comprendre qu'à cette époque, je n'étais pas prête émotionnellement à vivre mon idéal. Ayant du respect pour mes sentiments, j'ai changé la situation.

Je sens pourtant qu'un jour je serais assez sûre de moi pour trouver, si je le désire, un équilibre entre la profondeur et la liberté dans les relations. Mais je prends cette direction très lentement, à un rythme compatible avec mes émotions. (Je développerai ce point dans le chapitre sur les relations.)

Ecouter son intuition et agir en fonction d'elle constitue la clé de l'intégration de l'esprit et de la forme. Plus vous le ferez, plus votre mental, votre personnalité et votre corps auront l'occasion d'apprendre à se fier à l'esprit et à s'en remettre à lui. Plus la forme s'abandonne à l'esprit et le suit, plus elle devient éclairée et puissante.

Voici un point très important : vous ne pouvez pas forcer votre forme à croire et à suivre l'esprit par la *volonté*. Vous devez la laisser s'éduquer elle-même par l'observation consciente.

Autrement dit, vous ne pouvez pas toujours vous forcer à suivre vos sentiments intuitifs, même si vous désirez vivre de cette façon. Vous aurez parfois l'impression d'un trop grand risque ; même si votre esprit sait qu'il n'y a pas de problème, votre forme a peur. Ne vous poussez pas au-delà de ce dont vous êtes capable. Observez simplement le processus et soyez honnête sur ce que vous ressentez et ce qui vous arrive. Le changement se produira alors naturellement et spontanément.

Supposons par exemple que vous êtes avec un ami ; vous voulez lui dire quelque chose, mais vous craignez de le blesser, de le fâcher et de le perdre. Si vous vous en sentez le courage, allez-y, parlez, puis observez ce qui arrive et comment vous vous sentez. Il y a de grandes chances pour que vous sortiez de cette expérience avec plus d'énergie et de force.

Si, à l'inverse, vous avez trop peur de parler, n'essayez pas de passer par-dessus votre peur. A nouveau, observez simplement que vous êtes avec votre ami, sans être tout à fait vous-même. Notez que vous avez une sensation d'engourdissement et de perte d'énergie ; il se peut aussi que vous éprouviez du ressentiment envers votre ami. *Essayez de ne pas vous juger parce que vous n'avez pas agi.* Souvenez-vous : ceci est un apprentissage.

L'esprit tend toujours à l'expansion, à la profondeur, à plus d'énergie et de vitalité. La forme (ego/personnalité) est toujours attirée vers ce qu'elle perçoit comme sécurité et statu quo, et qui correspond en général à une expérience restreignante.

Si vous êtes capable de vous observer sans rationaliser ni juger, vous commencerez à remarquer que vous vous sentez mieux quand vous vous fiez à vous-même et suivez complètement votre énergie. A l'inverse, quand vous suivez vos vieux schémas de peur et de retenue, vous vous sentez plus mal. Au bout d'un certain temps, votre forme reçoit clairement le message et commence *spontanément* à suivre l'énergie au lieu du vieux schéma, parce qu'elle sait qu'elle se sentira mieux. Finalement votre forme optera automatiquement pour la lumière dans chaque situation, vous n'aurez ni à y penser, ni à le contrôler.

Au cours de ce processus où vous apprenez à vous faire confiance, de nombreux sentiments anciens et schémas émotionnels profonds viendront à la surface dans un but de guérison et de libération. Il s'agit d'un phénomène très important, à ne pas contrarier. D'anciens souvenirs et des expériences peuvent être réveillés. Des sentiments de tristesse, de peur, de souffrance, de culpabilité et de rage peuvent surgir. Permettez-vous de tout éprouver, de tout laisser déferler en vous et vous serez délivré. Votre forme sera débarrassée de tout cela. En pénétrant dans chaque cellule de votre corps, la lumière de l'esprit dissipe les ténèbres.

Pendant que vous apprendrez à observer consciemment le processus de transformation, vous vous verrez reproduire nombre de vos anciennes habitudes, longtemps après avoir atteint à une certaine compréhension. Spirituellement et intellectuellement, vous vous rendez compte que vous pouvez agir autrement, mais émotionnellement, vous restez attaché à vos anciennes habitudes. C'est difficile, mais essayez d'être patient et compatissant envers vous-même. Quand vous avez aussi clairement conscience de la futilité d'un vieux schéma, le changement est imminent ! Peu de temps après, vous commencerez soudain à réagir différemment, de façon plus positive.

L'illumination de la forme se produit selon un processus miraculeux. Au moment où l'ego s'abandonne dans la confiance en
l'univers, l'esprit pénètre chaque cellule du corps, transformant
l'obscurité en lumière.

Vous verrez changer votre corps physique, il deviendra plus
léger, plus fort, plus clairement défini, plus sain et plus beau. Il
acquerra une sorte de qualité translucide - comme si vous pou-
viez vraiment voir briller la lumière à travers lui - parce que votre vie est votre création et le miroir de votre transformation,
toutes les formes de votre vie - travail, argent, voiture, maison,
relations, communauté, monde - exprimeront toujours davantage
la puissance et la beauté de votre esprit.

### Méditation.

Dans une position confortable, détendez-vous et fermez les
yeux. Respirez plusieurs fois profondément et détendez complètement votre corps et votre esprit. Laissez votre conscience se
porter vers un endroit calme en vous.

Imaginez une belle lumière dorée irradiant du fond de vous-
même. Elle commence à grandir et à s'étendre, pour envahir
toutvotre corps. Elle est très puissante et, en se répandant, elle
pénètre dans chaque cellule de votre corps, en éveillant littéralement chaque molécule à la lumière. Imaginez que tout votre
corps rayonne et irradie cette lumière. Voyez et sentez alors que
votre corps se transforme, il devient plus sain, plus fort et plus
beau. Imaginez que tout le reste de votre vie se transforme de la
même façon.

### Exercice.

Voyez si vous pouvez vous observer sans porter de jugement.
Voyez quand vous réussissez à écouter votre intuition, et à agir
en fonction d'elle, et quand vous n'y arrivez pas, observez ce que
vous sentez et ce qui se passe dans chacune de ces situations.
Demandez à votre esprit de vous aider à apprendre à faire de
plus en plus confiance à votre énergie et à vous laisser guider
par elle.

# CHAPITRE VII

# LE MASCULIN
# ET LE FEMININ EN NOUS

Nous avons tous en nous une énergie masculine et une énergie féminine. A mon sens, l'un des plus grands défis qu'il nous faut relever dans ce monde consiste à développer pleinement ces énergies, pour leur permettre une interaction harmonieuse.

Les philosophies orientales ont toujours posé le concept du yin (féminin/réceptif) et du yang (masculin/actif), affirmant que dans l'univers, tout est fait à partir de ces deux forces. En Occident, Carl Jung accomplit une œuvre passionnante de pionnier avec ses concepts d'anima et d'animus. Il expliqua que les hommes ont un aspect féminin (anima) et les femmes, un aspect masculin (animus), que la plupart d'entre nous répriment fortement ces aspects d'eux-mêmes et que nous devons apprendre à vivre avec eux. Avec son école, il réalisa un magnifique travail sur les rêves, les mythes et les symboles afin d'aider les hommes et les femmes à retrouver la partie d'eux-mêmes qu'ils ont perdue ou reniée. De nombreux philosophes, psychologues, poètes, dramaturges et artistes ont exprimé l'idée d'énergie masculine et féminine en l'homme et en toute chose.

Comme je l'ai dit précédemment dans ce livre, la personne qui m'a le plus aidée à comprendre le masculin et le féminin en moi est Shirley Luthman. Ses idées dans ce domaine étaient si claires, si simples et profondes qu'elles ont littéralement déclenché une révolution dans ma vie. Je découvris dans ces concepts un outil puissant, me permettant de voir pratiquement tout dans ma vie et dans le monde sous l'angle des énergies masculine/féminine et de comprendre bien mieux ce qui se passait ! Je me suis mise à adapter et à réinterpréter à ma façon les idées que j'avais recueillies dans la philosophie orientale, chez Jung et Luthman, et à les incorporer à ma propre représentation des choses. Où que j'aille, je me suis aperçue que dès que je partage cette représentation avec les gens, c'est une révélation pour eux. Ils réagissent comme moi j'ai réagi - tant de choses s'éclairent.

Certains sont réticents devant les mots "féminin" et "masculin", car notre culture véhicule beaucoup d'idées préconçues sur le sens de ces mots et ils sont associés à une grande "charge" émotionnelle. Si vous le préférez, substituez-leur les termes "yin et yang", ou d'autres qui vous conviennent.

### Masculin et féminin.

Notre aspect féminin est notre moi intuitif, la partie la plus profonde, la plus sage de nous-mêmes. C'est l'énergie féminine, pour les hommes comme pour les femmes. C'est l'aspect *réceptif,* la porte ouverte qui permet le passage de l'intelligence supérieure de l'univers, la partie réceptrice du canal. Notre femme communique avec nous par l'intuition : incitation intérieure, sentiments qui viennent de nos images surgies des profondeurs de nous-mêmes. Si nous ne lui accordons pas d'attention à l'état de veille, elle essaie de nous atteindre par nos rêves, nos émotions et dans notre corps physique. Elle est la source de la sagesse supérieure en nous et, si nous apprenons à bien l'écouter, elle nous guidera à merveille à chaque instant.

L'aspect masculin est l'action - notre faculté de faire les choses dans le monde physique - penser, parler, bouger. Que vous soyez un homme ou une femme, je le répète, votre énergie masculine représente votre faculté d'agir. C'est le côté émetteur du canal. Le féminin reçoit l'énergie créatrice universelle et le masculin l'exprime dans le monde par l'action ; nous obtenons ainsi le processus de la création.

Notre aspect féminin est inspiré par une impulsion créatrice qu'il nous communique sous la forme d'un sentiment, et notre aspect masculin agit en fonction de lui en parlant, en bougeant ou en faisant ce qui convient.

Par exemple, un artiste s'éveille avec une idée de tableau (une image transmise par son aspect féminin) ; il va immédiatement dans son atelier, prend ses pinceaux et commence à peindre (action entreprise par son aspect masculin).

Une mère se sent soudain inquiète pour son enfant (avertissement de sa femme intérieure), court dans la pièce voisine et retient son enfant qui allait se brûler à la cuisinière (action menée par son homme intérieur).

Un homme d'affaires a soudain l'idée de contacter l'un de ses associés (il est guidé par sa femme), il téléphone (action entreprise par son homme) et se lance dans une nouvelle transaction.

Dans tous les cas où l'homme et la femme intérieurs ont fonctionné dans une union créatrice, il y a eu création - un tableau, un enfant sauvé, une affaire conclue - le simple fait d'avoir faim, d'aller à la cuisine et de préparer à manger, illustre aussi ce processus.

L'union des énergies féminine et masculine dans l'individu est à la base de toute création. Intuition féminine plus action masculine égale créativité.

Pour avoir une vie harmonieuse et créatrice, il vous faut des énergies intérieures féminine et masculine pleinement développées, et qui fonctionnent ensemble correctement. Pour intégrer complètement l'homme et la femme intérieurs, vous devez assigner le rôle de guide à la femme. Telle est sa fonction naturelle. Elle est votre intuition, la porte de votre intelligence supérieure.

Votre homme l'écoute et agit d'après ses sentiments. La vraie fonction de l'énergie masculine est d'agir dans la clarté absolue, d'une façon directe et avec une force passionnée, en s'appuyant sur ce que l'univers en vous vous dit par l'entremise de votre femme.

La femme dit : "Je ressens ceci". L'homme répond : "Je suis à l'écoute de tes sentiments. Que veux-tu que je fasse ?". Elle dit : "Je veux ceci". Il répond : "Ceci ? d'accord, parfait, je vais te le chercher". Et il y va directement, avec la certitude absolue que dans son désir réside la sagesse de l'univers.

Rappelez-vous que je parle en ce moment d'un processus *intérieur en chacun de nous*. Les gens projettent parfois cette idée à l'extérieur et s'imaginent que j'incite les hommes à laisser les femmes leur dicter leur conduite ! En fait je dis que nous devons *tous* laisser notre intuition nous guider et lui obéir sans crainte et sans détour.

La nature du féminin est sagesse, amour et clairvoyance, qui s'expriment par les sentiments et les désirs. La nature du masculin est de tout risquer dans l'action au service du féminin, comme le chevalier pour sa dame.

En s'abandonnant à elle et en agissant pour elle, notre énergie masculine construit en nous la structure d'une personnalité qui protège et honore l'énergie sensible de notre femme intuitive. J'imagine souvent le masculin en moi derrière le féminin, le soutenant, le protégeant. Pour un homme, on peut inverser l'image. Vous pouvez voir votre féminin dans ou derrière vous, qui vous guide, vous donne pouvoir, vous nourrit et vous soutient. Quand ces deux énergies sont en harmonie et qu'elles fonctionnent ensemble, la sensation est incroyable : un canal solide, ouvert, créateur, à travers lequel circulent la puissance, la sagesse, la paix et l'amour.

## La femme et l'homme anciens.

Nous n'avons hélas pas appris à laisser fonctionner naturellement nos énergies masculine et féminine, dans une relation appropriée de l'une avec l'autre.

Dans notre culture, nous apprenons à utiliser notre énergie masculine (notre faculté de penser et d'agir) pour refouler et contrôler notre intuition féminine, au lieu de la soutenir et de l'exprimer. J'appelle cette utilisation traditionnelle de l'énergie masculine, "l'homme ancien", qui existe de la même façon chez les hommes et chez les femmes, bien qu'il soit souvent plus visible et plus extérieur chez l'homme, plus subtil et plus intérieur chez la femme.

L'homme ancien est cette partie de nous-mêmes qui veut garder le contrôle. Notre puissance féminine le terrifie parce qu'il ne veut pas s'abandonner à la puissance de l'univers. Il craint de perdre son identité individuelle s'il s'abandonne. On peut aussi l'appeler *ego* : sa fonction est de préserver à tout prix l'individualité et la séparation. Il refuse donc la puissance féminine qui est une force tendant vers la fusion et l'unité.

En relation avec l'homme ancien, la femme ne peut rien dans le monde. Elle n'a pas le pouvoir d'aller directement dans le monde physique sans le support de l'action masculine. Sa puissance réprimée doit se manifester indirectement par des comportement manipulateurs, des symptômes physiques ou de façon inattendue et désordonnée - explosion d'émotions ou même (dans des cas extrêmes) actes de violence.

Vous pouvez constater qu'hommes et femmes ont joué ces rôles extérieurement. Traditionnellement, on enseigne à l'homme de renier et de réprimer sa femme intérieure, d'être comme une machine, sans émotion, se dominant totalement et se montrant répressif envers les femmes (secrètement, les hommes ont peut-être peur des femmes, car elles leur rappellent la puissance de leur femme intérieure qu'ils s'efforcent de renier). Parce qu'ils sont coupés de leur source interne de puissance, ils se sentent réellement très seuls et perdus.

Traditionnellement, la femme apprend aussi à utiliser son énergie masculine pour renier et réprimer sa puissance féminine. Réduite de ce fait à l'impuissance, dépendante des hommes, affectivement déséquilibrée, elle est seulement capable d'exprimer sa puissance de façon indirecte, par la manipulation (elle peut craindre que si les hommes découvraient sa puissance réelle, ils l'abandonneraient, aussi la cache-t-elle soigneusement).

Il est important de se rendre compte que l'homme et la femme anciens existent *tous les deux* chez l'homme et chez la femme. Une femme qui s'exprime sur le mode traditionnel décrit plus haut, a en elle un homme ancien, macho, qui la contrôle et la brime. Elle aura tendance à attirer des hommes qui reflètent cette personnalité masculine et la manifesteront dans leur comportement à son égard. Ce comportement peut aller du paternalisme et du chauvinisme aux violences verbale ou physique, selon la façon dont la femme se traite elle-même et ce qu'elle croit mériter. Une fois qu'elle commence à se faire confiance et à s'aimer davantage, ainsi qu'à utiliser son énergie masculine intérieure pour se soutenir, le comportement des hommes dans sa vie reflèteront cette évolution. Soit ils changeront radicalement et continueront à changer avec elle, soit ils disparaîtront de sa vie pour être remplacés par des hommes qui la soutiendront et l'apprécieront, reflétant sa nouvelle attitude envers elle-même. J'ai vu ce cas se produire maintes et maintes fois.

Le macho traditionnel a en lui une voix féminine désespérée et hystérique, qui essaie frénétiquement de se faire entendre. Il a tendance à attirer des femmes qui ont une piètre image d'elles-mêmes, qui s'attachent et qui ont besoin de lui, ou qui expriment indirectement leur pouvoir par manipulation, "charme" de la petite fille, séduction sexuelle, servilité ou sournoiserie. Ces femmes qui ne se respectent pas et n'ont pas confiance en elles, reflètent son manque de confiance et de respect à l'égard de sa femme intérieure. En s'ouvrant à sa nature féminine et en lui faisant confiance, il trouvera en lui-même la nourriture, le soutien et le sens de la connexion dont il a manqué. Les femmes de sa vie reflèteront ce changement en devenant plus fortes, plus indépendantes, plus directes et honnêtes, et plus authentiquement aimantes et consistantes.

## La femme et l'homme nouveaux

La puissance féminine, la puissance de l'esprit, est toujours en nous. Il appartient à l'ego · notre énergie masculine - de déterminer comment nous nous relions à cette puissance. Nous pouvons soit la combattre, la bloquer, essayer de la contrôler et de rester séparés d'elle, soit nous y abandonner et nous y ouvrir, apprendre à la soutenir et à la suivre.

Individuellement et collectivement, nous passons d'une position de peur et de contrôle, à une position d'abandon et de confiance en l'intuition. La puissance de l'énergie féminine est en train de se lever sur notre monde. Tandis qu'elle émerge en nous, que nous la reconnaissons et que nous nous y abandonnons, l'homme ancien en nous se transforme. Il re-émerge, né de la femme, en homme nouveau, celui qui se lance dans le monde par confiance et par amour, pour elle. Il doit grandir pour être son égal en puissance, ainsi ils deviendront les amants qu'ils sont destinés à être.

L'homme nouveau n'est vraiment né dans notre conscience que ces dernières années, me semble-t-il. Auparavant, nous n'avions pas beaucoup d'expérience dans nos corps de la véritable énergie masculine. Notre seul concept du masculin était l'homme ancien - une énergie complètement séparée du féminin.

La naissance de l'homme nouveau est synonyme de naissance d'un nouvel âge. Le nouveau monde se construit en nous et se reflète autour de nous au moment où l'homme nouveau (forme physique) émerge dans toute sa gloire de la puissance féminine (esprit).

### Une image.

J'entreprends de temps en temps un processus de visualisation dans lequel je demande à voir mes aspects masculin et féminin. A chaque fois, je reçois des images différentes qui m'apprennent quelque chose de nouveau. Je vais vous parler de l'une des plus fortes, qui illustre d'une façon très frappante un aspect de la relation entre l'homme et la femme intérieurs.

Mon énergie féminine m'est apparue comme une reine, belle et rayonnante, débordante d'amour et de lumière. Elle se promenait à travers les rues sur une petite litière, avec plusieurs porteurs de chaque côté, les gens attendaient pour la voir. Elle était si belle, si ouverte, si pleine d'amour que lorsqu'elle passait, les saluait, leur souriait et leur envoyait des baisers, ils étaient instantanément guéris de leurs douleurs et de leurs blocages.

Auprès d'elle marchait un samouraï avec un épée. C'était mon énergie masculine. Tout le monde savait qu'au moindre geste menaçant pour la reine, il lèverait aussitôt son épée et pourfendrait impitoyablement le coupable. Prévenu, nul n'osait naturellement s'attaquer à elle.

Il avait choisi d'avoir une confiance absolue en son propre jugement et en ses réactions, de ce fait, elle bénéficiait d'une protection totale. Se sentant parfaitement en sécurité, n'ayant aucun besoin de se cacher ni de se défendre, elle pouvait se montrer ouverte, douce, aimante sans réserve et offrir largement ces dons à tous autour d'elle.

**Méditation.**

Asseyez-vous ou allongez-vous dans une position confortable et fermez les yeux. Respirez profondément plusieurs fois et détendez complètement votre corps et votre esprit. Laissez votre conscience se porter vers un endroit calme en vous.

Représentez-vous maintenant votre femme intérieure. L'image peut être celle d'une personne, d'un animal ou quelque chose de plus abstrait - une couleur ou une forme. Prenez ce qui vient.

Regardez votre femme intérieure et essayez de percevoir ou de sentir ce qu'elle représente pour vous. Observez les détails de l'image. Remarquez les couleurs et les textures. Notez ce que vous ressentez envers elle.

Demandez-lui si elle aimerait vous dire quelque chose dans l'immédiat. Soyez prêt à recevoir son message, qui peut être verbal ou non verbal. Vous pouvez aussi lui poser toutes les questions que vous voulez. Avez-vous une information à lui demander ? A nouveau, recevez son message, qu'il vous arrive par des mots, un sentiment ou une image.

Quand vous aurez laissé le message parvenir jusqu'à vous et que vous vous sentirez satisfait pour cette fois, respirez profondément et libérez votre esprit de cette image. Revenez dans un endroit calme et tranquille.

Formez maintenant une image mentale de votre homme intérieur. Là encore, acceptez celle qui se présentera. Ce peut être l'image d'un homme, un symbole abstrait ou une couleur. Explorez cette image, Cherchez-en les détails. Observez les couleurs et la texture. Notez les sentiments que vous inspire cet homme. Puis s'il veut communiquer quelque chose dans l'immédiat, soyez réceptif à son message, qu'il soit verbal ou qu'il prenne une autre forme. Si vous avez quelque chose à lui demander, faites-le à ce moment-là. Soyez ouvert à tous les mots ou images que vous pourrez recevoir. Si vous ne recevez pas tout de suite une réponse, sachez qu'elle viendra plus tard.

Quand vous êtes satisfait de votre communication, libérez votre esprit de cette image. Revenez dans un endroit calme, en vous-même.

Demandez maintenant aux deux images de votre homme et de votre femme intérieurs de venir à vous ensemble. Voyez comment ils communiquent. Y a-t-il une relation entre-eux ou bien sont-ils séparés ? S'il y a relation, comment fonctionne-t-elle ? Demandez-leur s'ils ont quelque chose à se communiquer ou à vous communiquer. Restez ouvert à ce qui vous vient sous forme de mots, d'images ou de sentiments. Si vous souhaitez leur dire ou leur demander quelque chose, faites-le à ce moment-là.

Lorsque vous êtes satisfait, respirez à nouveau profondément et libérez votre esprit de leurs images. Revenez dans un endroit calme et tranquille en vous.

**Exercice.**

Fermez les yeux et contactez votre voix intuitive féminine

Demandez-lui ce qu'elle veut ; désire-t-elle recevoir quelque

chose, veut-elle agir ou parler ? Lorsqu'elle a exprimé son désir,
voyez comment votre homme nouveau la soutient. Voyez-le entreprendre l'action nécessaire pour répondre à son besoin ou à
son désir.

Quand vous ouvrez les yeux, essayez de suivre de votre mieux
ce que vous sentez correspondre au désir de votre femme intérieure.

# CHAPITRE VIII

# HOMMES ET FEMMES

Nous avons tous une compréhension instinctive des fonctions de base des énergies féminine et masculine, mais nous ne nous rendons pas nécessairement compte que les deux existent en chacun de nous. Nous tendons le plus souvent à associer les énergies masculine et féminine avec leurs types corporels respectifs.

Ainsi les femmes sont devenues les symboles de l'énergie féminine. Dans notre tradition, les femmes ont développé et exprimé leur réceptivité, leur rôle nourricier, leur intuition, leur assurance, leur sens de l'action, leur intellect et leur capacité à fonctionner avec efficacité et puissance dans le monde.

De même, les hommes sont devenus les symboles de l'énergie masculine. Dans notre tradition, ils ont développé leur faculté d'agir dans le monde d'une manière directe, énergique, avec assurance et agressivité. Ils ont réprimé et renié dans une large mesure leur intuition, leurs émotions, leur sensibilité et leur rôle nourricier.

Vu sous cet angle, chacun n'est qu'une moitié de personne, dont l'existence même dépend de l'autre moitié. Comme il est impossible de vivre dans ce monde sans l'ensemble des énergies masculine et féminine, chaque sexe a été terriblement dépendant de l'autre pour sa survie. Les hommes ont un besoin désespéré des femmes qui leur apportent la sagesse intuitive nourricière et le soutien affectif sans lequel, ils le savent inconsciemment, ils mourraient. Les femmes ont eu besoin que les hommes prennent soin d'elles dans le monde physique où elles n'ont pas appris à se débrouiller elles-mêmes.

L'arrangement peut sembler bien calculé. Les hommes aident les femmes, les femmes aident les hommes. Mais il y a un problème sous-jacent : en tant qu'individu, si vous ne vous sentez pas complet, si vous sentez que votre survie dépend d'une autre personne, vous redoutez en permanence de la perdre. Et si cette personne mourrait, et si elle s'en allait ? Alors vous mourriez aussi, à moins de trouver une autre personne comme elle, acceptant de prendre soin de vous. Bien sûr, il pourrait aussi arriver malheur à *cette autre personne*. La vie se déroule donc dans une peur constante et l'autre se réduit pour vous un simple objet - votre fournisseur en amour et en protection. Il vous faut contrôler cette source à tout prix : soit directement, par la force, soit indirectement, par diverses manipulations. C'est en général assez subtil : "Je te donnerai ce dont tu auras besoin pour que tu sois juste aussi dépendant de moi que je le suis de toi et tu continueras ainsi à me donner ce dont j'ai besoin".

Nos relations ont par conséquent eu pour base la dépendance et le besoin de contrôler l'autre. Cette situation conduit inévitablement au ressentiment et à la colère, dont nous réprimons la plus grande partie, car il serait trop dangereux de l'exprimer et de risquer d'y perdre l'autre. Le refoulement de tous ces sentiments nous rend ternes et mous. C'est une des raisons pour lesquelles tant de relations commencent dans l'excitation ("Je crois avoir trouvé quelqu'un qui répond vraiment à mes attentes !"), et finissent soit dans la colère, soit dans une sorte de torpeur et d'ennui ("cette personne ne répond pas du tout à mes attentes, comme je l'avais espéré, et j'ai même perdu ma propre identité dans cette affaire, mais j'hésite à couper parce que j'ai peur de mourir sans elle").

**Trouver l'équilibre.**

Récemment, les rôles fortement différenciés des hommes et

des femmes ont commencé à se modifier. Un nombre croissant de femmes des deux dernières générations explore et exprime sa faculté à agir dans le monde. Simultanément, de plus en plus d'hommes regardent en eux-mêmes et apprennent à s'ouvrir à leurs sentiments et à leur intuition.

Ce phénomène se produit selon moi parce que nous sommes arrivés dans une impasse avec nos relations du "monde ancien" et nos concepts extériorisés du masculin et du féminin. Les vieux modèles et façons de vivre sont devenus trop limitatifs pour nous, mais nous n'avons pas encore élaboré de modèles efficaces pour les remplacer. C'est une période de chaos et de confusion, de souffrance et d'insécurité, mais aussi de croissance prodigieuse. Nous nous *lançons* dans le monde nouveau. Toute forme de relation, du mariage traditionnel aux relations ouvertes, homosexuelles ou bisexuelles, représente selon moi un essai de chacun pour trouver son équilibre féminin/masculin en lui.

Les femmes sont traditionnellement en contact avec leur énergie féminine, mais sans la relier à leur énergie masculine. Elles n'ont pas reconnu ce qui est en elles. Elles ont toujours agi comme si elles n'avaient aucune puissance, alors qu'elles sont en réalité puissantes. Elles sont parties à la recherche d'une valorisation venant de l'extérieur (de la part des hommes), plutôt que de se valoriser intérieurement pour ce qu'elles savent et qui elles sont.

De nombreuses femmes ont comme moi une énergie masculine fortement développée, mais l'ont utilisée à la manière de "l'homme ancien". J'étais très intelligente, très active, et je me suis mené la vie dure pour pouvoir prendre les responsabilités du monde sur mes épaules. J'avais aussi une femme très développée, mais je ne me servais pas d'elle ; en fait, je l'ai ignorée longtemps... J'ai protégé ma sensibilité et ma vulnérabilité en me construisant une coquille extérieure résistante.

Il m'a fallu apprendre à utiliser cette puissante énergie masculine pour écouter, faire confiance et soutenir la femme en moi. Elle reçoit ainsi l'assurance et l'aide dont elle a besoin pour émerger dans sa totalité. Je me sens et je parais plus douce, plus réceptive, plus vulnérable, mais je suis en réalité beaucoup plus forte qu'auparavant.

Les femmes apprennent à l'heure actuelle à s'assumer et à se valoriser elles-mêmes, au lieu d'abandonner cette responsabilité et d'essayer de trouver l'homme qui la prenne à leur place. Se perpétuant depuis des siècles, ce schéma est cependant profondément ancré et il faudra du temps pour le changer aux niveaux les plus profonds. La clé réside dans le fait de ne pas cesser d'écouter nos sentiments les plus profonds, de leur faire confiance et d'agir selon eux.

Les qualités que les femmes ont cherché chez les hommes - force, pouvoir, responsabilité, soin, sensations, romanesque - elles devront les développer en elles-mêmes. Voici une formule simple : traitez-vous exactement de la façon dont vous voudriez qu'un homme vous traite !

Ce que nous créons en nous-mêmes est toujours reflété à l'extérieur, c'est un point intéressant. Telle est la loi de l'univers. Quand vous avez construit un homme intérieur qui vous soutient et vous aime, il y aura toujours un homme ou même beaucoup d'hommes qui le reflèteront dans votre vie. Quand vous n'essayez vraiment plus d'obtenir quelque chose à l'extérieur de vous-même, vous finissez par avoir ce que vous avez toujours voulu !

Le principe est bien sûr exactement le même pour les hommes. Dans notre tradition, les hommes sont coupés de leur énergie féminine ; ils sont aussi coupés de la vie, de la puissance et de l'amour. Ils sont là dans le monde, se sentant secrètement démunis, seuls et vides, tout en prétendant qu'ils ont pouvoir et contrôle (La guerre est un bon exemple de l'énergie masculine ancienne, privée de la sagesse et de l'orientation donnée par l'énergie féminine). Les hommes recherchent leur substance et leur lien intérieur chez les femmes, mais dès qu'ils ont pris contact avec leur propre femme intérieure, ils recevront son amour fantastique en eux.

Hommes, toutes les qualités que vous attendez d'une femme -

rôle nourricier, douceur, chaleur, force, sexualité et beauté - existent déjà dans votre femme intérieure. Vous le sentirez quand vous apprendrez à écouter vos sentiments et à les soutenir. Vous devez respecter et honorer totalement votre énergie intérieure féminine en agissant en fonction de vos sentiments pour elle. Alors, chaque femme, chaque personne dans votre vie reflètera cette intégration. Elles auront les qualités que vous avez toujours souhaitées et recevront aussi amour, chaleur, nourriture et force de votre part.

Beaucoup d'hommes, en particulier ces dernièrs temps, ont choisi de se relier profondément à leur énergie féminine et, ce faisant, ils se sont coupés de leur énergie masculine. Ils ont rejeté la vieille image du macho et n'ont aucun autre concept de l'énergie masculine auquel se référer. Ces hommes-là sont d'ordinaire si effrayés par leur énergie masculine, ils ont si peur qu'elle n'explose avec toute l'insensibilité et la violence de jadis, pour eux synonymes de virilité, qu'ils rejettent en même temps les qualités masculines positives d'affirmation.

Il est, je crois, très important pour ces hommes-là de saisir le concept de l'homme nouveau, celui qui ne réprime pas son énergie masculine spontanée, active et agressive, sachant que la puissance de sa femme intérieure la dirige avec sagesse. Cela requiert une confiance profonde dans le fait que la femme intérieure sait cè qu'elle fait et ne laissera rien de destructeur ni de nuisible se produire.

### Les relations dans le monde nouveau.

Une nouvelle conception des relations se fait jour, reposant sur le fait que chacun est complet en lui-même. Intérieurement, nous sommes tous des êtres masculin/féminin pleinement équilibrés, avec une large possibilité d'expression, de la plus douce réceptivité à l'action la plus musclée.

Extérieurement, le style d'expression de la majorité d'entre nous sera certainement fortement déterminé par le type de corps dans lequel nous sommes : masculin ou féminin.

Les gens qui découvrent ces idées expriment quelquefois la crainte de prendre une apparence d'androgynes - hommes et femmes se ressemblant tous plus ou moins. En réalité, l'inverse est vrai. Plus les femmes développent et se fient à leur aspect masculin pour les soutenir intérieurement, plus elles osent laisser s'épanouir leur aspect féminin dans sa douceur, sa réceptivité et sa beauté. Les femmes que je connais et qui passent par ce processus (moi y compris), semblent devenir plus féminines et plus belles, alors qu'elles sont en train de renforcer leurs qualités masculines. Les hommes qui s'abandonnent et s'ouvrent pleinement à leur énergie féminine retrouvent le contact avec leur puissance féminine intérieure qui valorise et renforce leurs qualités masculines. Loin de devenir efféminés, les hommes que je connais et qui sont engagés dans ce processus, me semblent beaucoup plus à l'aise dans leur virilité.

Dans le monde nouveau, quand un homme est attiré par une femme, il reconnaît en elle le miroir de son aspect féminin. A travers ce qu'elle reflète, il peut en apprendre davantage sur sa propre femme intérieure et dépasser ses peurs et limitations éventuelles, pour atteindre à une intégration plus profonde en lui. Quand une femme tombe amoureuse d'un homme, elle voit en lui le reflet de son homme intérieur. A travers ses interactions avec lui, elle peut apprendre à renforcer et à faire confiance à son côté masculin.

Si vous savez à un niveau profond que la personne qui vous attire est le miroir de vous-même, vous ne pouvez pas devenir trop dépendant d'elle ou de lui, car vous savez que tout ce que vous voyez en elle existe aussi en vous ! Vous reconnaissez être entré dans cette relation pour apprendre quelque chose sur vous-même et approfondir votre lien avec l'univers. Les relations saines ne reposent donc pas sur le besoin, mais sur la passion et l'exaltation de faire ensemble le voyage pour devenir une personne.

**Relations homosexuelles.**

Ma propre expérience est hétérosexuelle, aussi ne puis-je guè-

re me présenter comme une spécialiste des relations homosexuelles. Toutefois, ayant parlé et travaillé avec un certain nombre d'homosexuels, hommes et femmes, des clients ou des amis,
j'ai fortement l'impression qu'à un niveau spirituel, les relations
homosexuelles et bisexuelles constituent une étape très importante que franchissent certains pour se dégager de leurs vieux
rôles rigides et de leurs stéréotypes, pour trouver leur propre vérité.

Pour certains, une relation intime et intense avec une ou des
personnes de même sexe constitue le meilleur miroir qu'ils puissent trouver. Par exemple, il semblerait que deux femmes réussissent souvent à établir l'une avec l'autre une connexion profonde dont elles ne trouvent pas l'équivalent avec un homme. Elles
utilisent cette connexion intuitive féminine pour créer une base
solide et un environnement sûr, leur permettant à toutes les
deux de construire leur homme intérieur. Elles se reflètent et se
soutiennent complètement l'une l'autre dans leur recherche de
leur totalité et leur équilibre.

Un homme a quelquefois l'impression de trouver chez un autre homme une intensité masculine en harmonie avec la sienne,
une capacité à s'extérioriser qu'il ne trouverait pas chez une femme. Il peut aussi trouver chez un autre homme un soutien pour
aller vers son moi féminin et l'explorer, sans avoir à tenir le
vieux rôle masculin stéréotypé.

Il s'agit encore de mystères que nous ne comprendrons
qu'avec du recul. Je crois que chaque être humain choisit la voie
et les relations qui l'aideront à grandir le plus vite possible.

Plus nous évoluerons, moins nous éprouverons le besoin de
mettre sur nous-mêmes et nos relations des étiquettes telles
qu'homosexuel, exclusif monogame, ouvert et ainsi de suite. Je
vois venir un temps où chacun pourra être une entité unique,
s'exprimant librement dans son style propre. Chaque relation
constituera une connexion unique entre deux êtres, qui aura une
forme et un mode d'expression particulières. Classer en catégories est possible, car nous sommes tous différents et nous suivons
notre propre courant d'énergie.

**Exercices.**

Pensez aux femmes qui comptent le plus dans votre vie. Quelles sont leurs qualités les plus importantes et les plus attirantes ? Soyez conscients du fait qu'elles reflètent des aspects de votre propre énergie féminine (que vous soyez un homme ou une femme).

Pensez maintenant aux hommes qui comptent le plus dans votre vie. Quelles sont les qualités que vous aimez, admirez, appréciez le plus chez eux ? Reconnaissez qu'ils reflètent des aspects similaires de votre propre énergie masculine (à nouveau, cela se rapporte à vous, que vous soyez un homme ou une femme).

Si vous avez du mal à voir que ce que vous admirez chez les autres est aussi en vous, la raison en est peut-être que vous n'avez pas encore développé autant qu'eux ces qualités en vous. Dans ce cas, essayez la méditation suivante.

**Méditation.**

Installez-vous dans une position confortable. Fermez les yeux, détendez-vous, respirez plusieurs fois profondément et portez votre conscience vers un endroit calme au fond de vous.

Évoquez mentalement une personne que vous admirez, ou qui vous attire. Demandez-vous quelles sont les qualités qui vous attirent le plus chez elle. Voyez-vous ces mêmes qualités en vous ? Dans la négative, essayez d'imaginer que vous possédez ces qualités. Imaginez de quoi vous auriez l'air, comment vous parleriez et agiriez. Représentez-vous dans des situations et des interactions variées.

Si vous sentez que ce sont des qualités que vous voulez développer davantage en vous, recommencez régulièrement cette visualisation pendant quelque temps.

# CHAPITRE IX

# ORIENT ET OCCIDENT :
# UN NOUVEAU DÉFI

J'ai le sentiment très net d'avoir été un ascète spirituel dans ma vie précédente, peut-être en Inde, et je vivais sans doute en méditant quelque part au sommet d'une montagne. Ce mode de vie revêt pour moi une familiarité attrayante et j'ai quelque part le désir de continuer à vivre dans cette bienheureuse simplicité ! Cependant, je sais que cette fois-ci, j'ai choisi de passer à l'étape suivante : créer un corps et un monde qui puissent s'accorder à mon esprit et l'exprimer.

Il est intéressant de regarder le monde sous l'angle du masculin et du féminin ; j'ai découvert ainsi des choses fascinantes. Dans un sens, on peut voir l'Orient comme le représentant du féminin. La plupart des cultures orientales (Inde, Tibet, Chine, Japon et bien d'autres) ont une tradition spirituelle ancienne et puissante. Récemment encore, leur force et leur développement résidaient principalement dans les domaines intuitif et spirituel, au moins en comparaison avec le monde occidental. Ils souffraient du manque de développement dans le domaine physique et, par conséquent, ont connu une grande pauvreté, du chaos et de la confusion.

L'énergie en Occident (Europe et Etats-Unis) est plus masculine. Elle s'est essentiellement centrée sur le développement du domaine physique, en ignorant le développement spirituel. Il en résulte que nous avons fait des progrès technologiques incroyables, mais que nous connaissons une terrible pauvreté spirituelle et le sentiment d'être coupés de notre source.

Ces deux mondes sont attirés l'un par l'autre tout comme les hommes et les femmes, avec un certain degré de peur et de méfiance, et néanmoins une attraction irrésistible. Les enseignements de l'Orient spirituel inondent l'Occident et la technologie occidentale part vers l'Est. Chacun est avide de ce que possède l'autre.

L'une des images mentales favorites de mes voyages en Inde est la suivante : je me trouvais dans un bazar. Il y avait deux étalages en face de moi. L'un proposait de très beaux objets artisanaux traditionnels. Un groupe d'Européens et d'Américains se pressait devant et marchandait avec entrain pour acheter ces merveilles. Sur l'autre étalage trônait fièrement un choix d'objets en plastique - bols, ustensiles de cuisine et même des chaussures. En longue file, des Indiens attendaient patiemment leur tour pour se procurer ces précieux articles. Naturellement, aucun des groupes ne jetait le moindre coup d'œil sur l'autre étalage !

L'Orient et l'Occident peuvent apprendre l'un de l'autre, mais comme l'homme et la femme, il doivent finalement trouver en eux-mêmes ce qu'ils admirent chez l'autre. Il faut espérer que les pays en voie de développement du tiers-monde tireront l'enseignement de nos erreurs et développeront un technologie mieux harmonisée à l'esprit et à l'environnement. Quant à nous, nous devons développer une voie spirituelle qui nous aide dans notre rapport avec le monde physique.

Les traditions spirituelles orientales (et d'ailleurs aussi nos premières traditions spirituelles occidentales) reposent sur le fait de se retirer au maximum du monde, afin de se relier plus profondément à l'esprit. Le monde avec ses tentations et ses distractions est un endroit où il est difficile de rester centré et engagé envers sa vérité intérieure.

Par conséquent, la plupart des voies spirituelles sérieuses ont comporté un certain degré de renoncement au monde : relations, argent, biens matériels, plaisirs et luxe. L'idéal était de se retirer dans un monastère ou au sommet d'une montagne et d'y mener une vie de contemplation paisible, en abandonnant tout attachement au monde. Même ceux qui choisissent d'avoir une famille et un travail appliquent en général des règles et des restrictions sévères, qui les séparent le plus possible du monde.

Cette orientation spirituelle contemplative a constitué un pas important et nécessaire, mais elle reflète la séparation que nous avons maintenue entre l'esprit et la forme, entre le féminin et le masculin en nous. Pour être un chercheur spirituel, il nous fallait abandonner le monde physique. "L'illumination" fut un des motifs pour revendiquer l'esprit au détriment du corps - transcender la forme en l'abandonnant. De la sorte, des individus ont été "illuminés" dans le sens où ils ont pleinement réalisé leur nature spirituelle, mais ils n'ont pas pleinement illuminé leur forme. Lorsqu'ils ont quitté définitivement leur corps, ils ont laissé un monde en grande partie inchangé. Ces maîtres ont obtenu et préservé le principe intuitif dans notre monde, ils ont préparé la voie pour que nous fassions le pas suivant : illumination de la forme et transformation du monde qui en découle.

Ceux d'entre nous qui choisissent d'être des chercheurs spirituels et des agents de la transformation, doivent maintenant aller *dans* le monde *avec le même degré d'engagement* envers leur être spirituel que s'ils avaient renoncé au monde. Cette voie est beaucoup plus difficile ! Nous sommes maintenant mis au défi de nous abandonner totalement à l'univers, de nous laisser guider par lui sans poser de questions, et de le faire tout en ayant des relations profondes et intenses, en nous occupant d'argent, d'affaires, de famille, de projets et de maintes autres choses "du monde". Plutôt que d'esquiver nos attachements au monde, le moment est venu de leur faire face au niveau le plus profond de notre corps, au niveau cellulaire. Nous devons nous engager *dans* cette situation de défi, reconnaître et nous approprier tous les sentiments et tous les attachements, et permettre au pouvoir spirituel en nous de les dissoudre et de les transformer.

**Méditation.**

Détendez-vous, fermez les yeux et respirez plusieurs fois profondément. A chaque respiration, descendez davantage dans un endroit tranquille en vous. De cet endroit calme, commencez à dessiner une nouvelle image de vous-même dans le monde. Vous êtes centré sur l'univers et vous vous laissez guider par lui sans poser de question. Vous avez confiance en vous. Vous vous sentez fort et courageux. Vous apportez au monde la certitude qui est en vous. Grâce à cette confiance et à ce centrage en vous, ce que vous créez à l'extérieur est beau. Votre monde vous nourrit et nourrit les autres. Vous avez des relations profondes et intenses, vous vous occupez de gens, d'argent, de votre carrière, de votre corps et de tout ce qui vous entoure.

Vous êtes capable d'être dans le monde et d'apprécier toutes les choses "du monde", tout en gardant votre engagement envers l'univers en vous. Cet engagement est reflété par la lumière et la puissance étonnante qui vous entourent.

SECONDE PARTIE

# VIVRE
# SELON LES PRINCIPES

CHAPITRE X

# CONFIANCE EN L'INTUITION

Nous avons pour la plupart été formés dès l'enfance à nous méfier de nos sentiments, à ne pas nous exprimer vraiment et honnêtement, et à ne pas reconnaître qu'au plus profond de notre être se trouve une nature aimante, puissante et créatrice. Nous apprenons très facilement à nous ajuster à notre entourage, à suivre certaines règles rigides de comportement, à supprimer nos élans spontanés et à faire ce qu'on attend de nous. Même si nous nous rebellons contre cet état de fait, nous devenons prisonniers de notre rébellion en faisant le contraire de ce que l'on nous a dit par réaction brutale contre l'autorité. Nous sommes rarement soutenus dans notre effort pour avoir confiance en nous, pour écouter notre vérité intérieure et pour nous exprimer d'une façon directe et honnête.

Lorsque nous réprimons et lorsque nous nous défions systématiquement de notre savoir intuitif, recherchant à la place l'autorité, la validation et l'approbation des autres, nous nous dépouillons de notre pouvoir personnel, ce qui amène le sentiment d'être désemparé, vide, une victime. Ensuite viennent la colère et la rage, et si ces sentiments sont aussi réprimés, c'est la dépression et l'apathie. Nous pouvons subir tout simplement ces sentiments, mener une vie d'engourdissement et de désespoir tranquilles, mourir. Nous pouvons aussi chercher à compenser notre sentiment d'impuissance en essayant de contrôler et de manipuler notre entourage. Nous pouvons même exploser finalement dans une rage incontrôlée, qui sera extrêmement exagérée et déformée pour avoir été longtemps refoulée. Aucune de ces possibilités n'est très positive.

La vraie solution consiste à nous rééduquer à écouter et à nous fier à la vérité intérieure qui se manifeste à nous à travers nos sentiments intuitifs. Nous devons apprendre à agir d'après eux, même si cela peut paraître risqué et effrayant au début, parce que nous ne jouons plus la sécurité, nous ne faisons plus ce que "nous devrions" faire, plaire aux autres, suivre des règles, ou nous en référer à une autorité extérieure. Vivre de cette façon, c'est risquer de perdre tout ce à quoi nous avons tenu pour des raisons de (fausse) sécurité extérieure, mais nous y gagnerons l'intégrité, la plénitude, la vraie puissance, la créativité, et la vraie sécurité de savoir que nous sommes alignés sur la puissance de l'univers.

Je n'essaie pas de déconsidérer ni d'éliminer l'esprit rationnel en suggérant que notre conscience intuitive est la force qui guide nos vies. L'intellect est un outil très puissant, que l'on utilisera plutôt pour soutenir et exprimer notre sagesse intuitive que pour réprimer notre intuition, comme nous le faisons actuellement. La plupart d'entre nous ont programmé leur intellect pour qu'il doute de leur intuition. Quand une intuition surgit, notre esprit rationnel dit immédiatement : "Cela ne marchera pas", "Personne n'agit ainsi" ou "Quelle idée stupide !", et l'intuition est rejetée.

Au moment où nous entrons dans le monde nouveau, nous devons rééduquer notre intellect pour qu'il reconnaisse l'intuition comme une source valable d'information et de guidance. Il nous faut entraîner notre intellect à écouter et à exprimer la voix de l'intuition. L'intellect est d'un naturel très discipliné et cette discipline peut nous aider à réclamer et à *recevoir* les indications du moi intuitif.

Que signifie se fier à son intuition ? Comment s'y prend-on ? Cela signifie se régler sur les sentiments qui viennent des "entrailles" - notre sens le plus profond de notre vérité personnelle - dans n'importe quelle situation, et d'agir en accord avec eux, d'instant en instant. Quelquefois vos "entrailles" peuvent vous dire de faire quelque chose d'inattendu ou d'incompatible avec vos projets antérieurs ; elles peuvent vous demander de croire en quelque chose d'illogique ; il se peut que vous vous sentiez peut-être plus vulnérable que vous ne l'étiez au niveau émotionnel ; il se peut que vous exprimiez des pensées, des sensations, des opinions étrangères à vos convictions habituelles ; peut-être suivrez-vous un rêve ou une fantaisie ; ou vous prendrez un certain risque financier pour faire quelque chose qui vous semble important.

Au début, vous craindrez que de faire confiance à votre intuition ne vous amène à vous conduire d'une façon apparemment pénible ou irresponsable pour les autres. Il se peut, par exemple, que vous hésitiez à annuler un rendez-vous, même si vous avez besoin de temps pour vous-même, de crainte de froisser la personne. J'ai découvert que si j'écoute et si je me fie vraiment à ma voix intérieure, à la longue, mon entourage en profite autant que moi.

Les gens peuvent être quelquefois temporairement déçus, irrités ou un peu déstabilisés quand vous changez vos anciens schémas de relation à vous-même et aux autres. Mais, tout simplement, les gens de votre entourage sont poussés à changer aussi. Si vous êtes confiant, vous verrez que les changements se produisent aussi pour leur plus grand bien. (si vous *annulez* ce rendez-vous, votre ami passera peut-être finalement un très bon moment occupé à autre chose). Si les gens ne veulent pas changer, il se peut qu'ils s'éloignent de vous, au moins pendant un moment ; il vous faut donc être disposé à laisser partir les gens. S'il existe entre vous un lien profond, il y a des chances pour que vous soyez à nouveau proches dans le futur. En attendant, chacun a besoin de grandir à sa façon et à son rythme. Si vous continuez à suivre votre voie, vous attirerez de plus en plus de gens qui vous aimeront comme vous êtes et voudront entrer en relation avec vous sur un mode nouveau.

**Pratiquer une nouvelle façon de vivre.**

Apprendre à se fier à son intuition est une forme d'art et,

comme dans toute forme d'art, le perfectionnement vient avec la pratique. On n'apprend pas en un jour. Il faut consentir à faire des "erreurs" ; à essayer quelque chose et échouer, puis à essayer autre chose la fois suivante ; à se mettre quelquefois dans une situation embarrassante ou à se sentir stupide. Votre intuition est toujours cent pour cent correcte, mais il faut du temps pour *l'entendre* correctement. Si vous consentez à prendre le risque d'agir d'après ce que vous croyez être vrai et à faire des erreurs, vous apprendrez très vite, en constatant ce qui marche et ce qui ne marche pas. Si vous vous freinez de peur de vous tromper, il vous faudra peut-être toute la vie pour apprendre à avoir confiance en votre intuition.

Il est souvent difficile de distinguer la "voix" de l'intuition parmi toutes les autres "voix" qui vous parlent de l'intérieur ; la voix de la conscience, les voix de nos anciens programmes et croyances, les opinions des autres, les craintes et les doutes, les projets rationnels et les "bonnes idées".

Les gens me demandent souvent comment différencier la vraie voix de l'intuition de toutes les autres. Malheureusement, il n'y a pas de méthode simple et garantie au premier essai. Nous sommes pour la plupart en contact avec notre intuition, même sans le savoir, mais nous avons en général l'habitude d'en douter ou de la contredire automatiquement, si bien que nous ne savons même pas qu'elle a parlé. Il vous faut commencer par porter plus d'attention à ce que vous ressentez au-dedans, au dialogue intérieur qui se déroule en vous.

Vous ressentez par exemple : "J'aimerais appeler Jim". Immédiatement, La voix du doute à l'intérieur vous dit : "Pourquoi l'appeler à cette heure-ci ? Il ne sera pas chez lui !", et vous ignorez automatiquement votre impulsion initiale de lui téléphoner. Si vous aviez appelé, vous l'auriez trouvé chez lui, et découvert qu'il avait quelque chose d'important à vous dire.

Autre exemple : vous pouvez éprouver en milieu de journée une sensation qui vous dit : "Je suis fatigué, j'aimerais me reposer". Vous pensez immédiatement : "Je ne peux pas me reposer tout de suite, j'ai beaucoup de travail". Vous buvez donc un café pour vous stimuler et vous continuez à travailler le reste de la journée. Le soir, vous vous sentez fatigué, épuisé et irritable, alors que si vous vous étiez fié à votre sensation première, vous vous seriez arrêté une demi-heure et vous auriez repris vos activités, reposé et efficace, pour finir votre journée sans déséquilibre.

A mesure que vous prenez conscience du dialogue subtil entre votre intuition et vos autres voix intérieures, il est capital de ne pas vous rabaisser ni de réduire l'importance de cette expérience. Essayez de rester un observateur assez objectif. Notez ce qui arrive quand vous suivez votre intuition. Le résultat est en général un surcroît d'énergie et de puissance, et la sensation que tout est en ordre. Maintenant, remarquez ce qui arrive quand vous doutez de vos sentiments, quand vous les réprimez ou n'en tenez pas compte. Invariablement, vous observerez une baisse d'énergie, des sensations de faiblesse ou d'impuissance, et une souffrance affective et/ou physique. Dans tous les cas, vous retirerez un enseignement, aussi essayez de ne pas vous condamner quand vous ne suivez pas votre intuition (ce qui ajouterait les reproches à la souffrance !). Souvenez-vous, il faut du temps pour apprendre de nouvelles habitudes ; les anciennes sont profondément enracinées et bien que j'aie obtenu des résultats merveilleux, en maintes occasions je ne suis pas encore assez courageuse ou consciente pour me faire complètement confiance et agir exactement selon ce que je ressens. J'apprends à me montrer patiente et compatissante envers moi-même tandis que je progresse dans le courage d'être authentique.

L'important, lorsqu'on apprend à écouter et à suivre son intuition, c'est simplement de la "contrôler" régulièrement. Au moins deux fois par jour, et beaucoup plus souvent si possible, (toutes les heures serait excellent), prenez une ou deux minutes (plus longtemps, si vous pouvez) pour vous détendre et vous mettre à l'écoute de vous-même. Cultivez l'habitude de parler à votre moi intérieur. Demandez-lui de vous aider et de vous guider quand vous en avez besoin et entraînez-vous à recevoir les réponses qui peuvent venir sous diverses formes : des mots, des images, des sensations, ou même d'une source extérieure comme un livre, un ami, un professeur qui vous dira juste ce que vous avez besoin de savoir. Votre corps est un auxiliaire fantastique pour apprendre à suivre votre voix intérieure. Chaque fois qu'il y a souffrance ou inconfort, c'est en général le signe que vous avez ignoré vos sentiments. Utilisez-les comme un appel à établir la communication et demandez de quoi vous devez prendre conscience.

Apprenant à vivre d'après votre intuition, vous cessez de prendre des décisions avec votre tête. Vous agissez instant après instant, selon ce que vous sentez, et laissez les choses évoluer devant vous. De cette façon, vous allez dans la direction qui vous convient vraiment. Les décisions s'élaborent facilement et naturellement ; vous n'avez pas besoin de prendre de grandes options à propos d'événements futurs. Ne vous occupez que de suivre votre énergie dans l'instant et vous découvrirez que tout se fait en son temps et comme il faut. Si vous *devez* prendre une décision concernant le futur, obéissez au sentiment de vos entrailles au moment où la décision doit être prise.

N'oubliez pas non plus que, bien que je parle de suivre la voix intérieure, beaucoup de gens ne la reçoivent pas littéralement comme une voix. Souvent, il s'agit plutôt d'une simple sensation, d'une énergie, d'un sentiment de "vouloir faire ceci" ou de "ne pas vouloir faire cela". N'en faites pas toute une affaire, un événement mystique et mystérieux, ni une voix d'en haut ! C'est une expérience humaine, simple et naturelle, que nous avons perdue et que nous devons retrouver.

Une vitalité accrue constitue l'une des meilleures preuves que vous suivez votre intuition. Vous avez l'impression d'une plus grande circulation d'énergie vitale dans votre corps. Vous vous sentez même parfois submergé par plus d'énergie que votre corps ne peut en contenir. Vous pouvez aller jusqu'a vous sentir fatigué par *trop* d'énergie circulant en vous. L'énergie ne dépassera en aucun cas vos capacités, mais vous devrez vous élargir un peu ! Votre corps augmente sa capacité à canaliser l'énergie universelle. Soyez relaxé, et quand vous en aurez besoin, reposez-vous. Vous vous sentirez bientôt plus équilibré et vous commencerez même à prendre plaisir à cet accroissement d'intensité.

Vous trouverez peut-être au début que, plus vous agissez selon votre intuition, plus les éléments de votre vie se désagrègent ; il se peut que vous perdiez votre travail, une relation, certains amis, ou que votre voiture tombe en panne ! C'est qu'en fait vous changez vite et que vous vous débarassez de ce qui, dans votre vie, ne vous correspond plus. Tant que vous les conserviez, ces éléments vous emprisonnaient. Alors que vous avancez dans cette voie, en suivant l'énergie d'instant en instant, de votre mieux, vous verrez se créer de nouvelles formes. Cela se produira facilement, sans effort. Les choses se mettront en place et les portes s'ouvriront d'une façon apparemment miraculeuse. Vous irez simplement votre chemin, agissant selon votre énergie, n'excédant pas vos moyens et vous connaîtrez de merveilleux moments, vous serez littéralement capable de voir l'univers créer à travers vous. Vous commencerez à goûter la joie d'être un canal créateur !

**Exemples spécifiques.**

Voici quelques exemples tirés de ma vie, et de celles de clients et d'amis, concernant des situations types que vous êtes susceptible de rencontrer en suivant votre intuition. Notez que les mots mis entre parenthèses se rapportent aux pensées et aux sentiments qui peuvent vous avoir retenu ou empêché de faire confiance à votre intuition dans le passé.

– Quitter une fête ou une réunion parce que vous vous rendez compte que vous n'avez vraiment pas envie de rester (même si vous avez peur de ce que les autres vont penser ou si vous craignez de manquer quelque chose de bien).

– Dire à quelqu'un qu'il vous attire ou que vous aimeriez le connaître, ou que vous l'aimez, ou ce que vous ressentez sur le moment, parce que c'est bon d'être ouvert et de dire la vérité (même si vous avez peur d'être rejeté, si vous vous sentez vulnérable, et parce que, de toute façon, cela ne se fait pas).

– Décider de ne pas écrire votre thèse parce que vous sentez vraiment qu'elle ne vous intéresse pas ; chaque fois que vous y pensez, elle vous apparaît comme une corvée (pourtant vous y avez déjà travaillé cinq ans, vos parents seront contrariés si vous n'obtenez pas votre diplôme, vous auriez aimé bénéficier du prestige qui l'accompagne et vous estimez qu'il vous aurait permis de trouver un meilleur emploi).

– Prendre des leçons de chant, de musique, ou des cours de danse ou autre chose, parce qu'il vous prend l'envie d'être capable de chanter, de jouer d'un instrument ou de danser (même si vous pensez ne pas avoir le moindre talent. Si vous êtes trop vieux pour apprendre ou si vous risquez d'avoir l'air ridicule).

– Ne pas aller travailler un jour, simplement parce que vous avez envie de rester tranquillement chez vous, de vous mettre au soleil, de vous promener ou juste de paresser au lit (même si vous allez *toujours* travailler et si vous jugez cette conduite terriblement irresponsable, du fait que vous n'êtes pas malade, parce que vous avez peur de perdre votre emploi ou parce qu'elle vous paraît stupide et légère).

– Quitter votre emploi parce que vous le détestez et que vous vous rendez compte que vous n'avez vraiment pas besoin de faire quelque chose que vous n'aimez pas (même si vous n'êtes pas vraiment sûr de ce que vous allez faire ensuite et si vous n'avez pas beaucoup d'argent devant vous, et si vous êtes épouvanté à l'idée de perdre la sécurité d'un revenu régulier).

– Ne pas rendre un service à quelqu'un qui vous l'a demandé, parce que vous n'en avez pas envie et que vous savez que vous éprouveriez du ressentiment si vous le faisiez (même si vous avez peur d'être égoïste, de perdre un ami ou de vous faire un ennemi d'un collègue).

– Dépenser un peu d'argent pour quelque chose qui sort de l'ordinaire, pour vous ou pour quelqu'un d'autre, sur une impulsion, juste parce que cela vous fait plaisir (même si vous êtes normalement très économe et que vous avez le sentiment de ne pas pouvoir vous le permettre).

– Donner votre véritable avis sur une question parce que vous en avez assez de faire semblant d'être d'accord avec les autres (même si vous n'osez pas normalement vous expliquer ainsi).

– Annoncer à votre famille que vous ne préparez pas le dîner parce que vous n'en avez pas envie (même si vous craignez de vous conduire en mauvaise épouse et en mauvaise mère, même s'ils risquent de découvrir qu'ils n'ont pas besoin de vous et si toute votre identité peut en être détruite).

– Ne pas prendre de décision parce que vous n'êtes pas encore vraiment sûr de ce que vous sentez à propos de l'objet de cette décision (même si cet état d'incertitude vous rend mal à l'aise et crée un déséquilibre en vous).

– Lancer votre propre affaire parce que vous avez l'intime conviction d'en être capable (même si vous n'avez jamais rien fait de tel auparavant).

Voilà, vous avez saisi le principe. Avoir confiance en son intuition signifie s'accorder aussi profondément que possible avec l'énergie que l'on sent, la suivre instant après instant, avec la certitude qu'elle nous mènera là où nous voulons aller et nous apportera tout ce que nous désirons. Cela signifie être soi-même, être vrai et authentique dans ses communications, être disposé à essayer de nouvelles choses parce qu'elles semblent justes, faire tout ce qui présente de l'attrait.

### Les gens hautement intuitifs.

Beaucoup de gens sont déjà hautement intuitifs, ils sont en contact très étroit avec leur intuition, mais ont peur d'agir en fonction d'elle dans le monde. Ces gens-là suivront souvent leurs incitations intuitives dans un domaine spécifique de leurs vies, mais pas dans les autres. Beaucoup d'artistes, de musiciens, d'acteurs et de grands créateurs entrent dans cette catégorie. Ils croient fortement et agissent spontanément selon leur intuition dans les limites de leur formes d'art ; ils sont donc extrêmement créateurs et souvent très productifs, mais n'ont pas le même degré de confiance en eux et de volonté pour faire suivre leurs sentiments d'actions dans d'autres domaines de leurs vies, en particulier dans leurs relations, et dans les questions d'affaires et d'argent. C'est le cas classique de l'artiste, chaotique et déséquilibré sur le plan émotionnel et/ou financièrement incapable, voire exploité.

Il y a un exemple classique de ce problème dans le film *Lady Sings the blues,* sur la vie de la grande chanteuse Billie Holliday. Dans une scène, on la voit voyager avec sa troupe au cours d'une tournée éprouvante. Elle se sent épuisée et vidée, elle est impatiente de rentrer chez elle pour retrouver son mari et se reposer. Ses managers réussissent à la convaincre qu'un tel acte ruinerait sa carrière, qu'elle *doit* continuer sa tournée. Peu après avoir cédé à leurs arguments, elle commence à s'adonner gravement à la drogue. A partir de ce moment, sa vie prend un tournant tragique vers le déclin.

Evidemment, il ne suffit pas d'un seul incident de ce genre pour ruiner toute une vie, mais ce film fournit une illustration de la façon dont beaucoup d'artistes et d'acteurs abandonnent leur autorité à l'influence de leur entourage et souffrent du conflit intérieur, de la douleur et de la perte de pouvoir qui en résultent. Pour atteindre l'équilibre, ces gens doivent apprendre à se fier à leur intuition et à s'imposer dans tous les domaines de leurs vies.

Les médiums connaissent aussi ce problème. Ils sont très ouverts, réceptifs et intuitifs, et ne bloquent pas ces qualités comme la plupart d'entre nous. Ils laissent même parfois leur intuition régner librement sur leur travail, ou avec certaines conditions. Une fois encore, le problème vient du fait qu'ils ne croient pas pleinement en leur intuition et qu'ils ne la suivent pas à chaque instant de leurs vies, en particulier dans le domaine des relations personnelles. Il s'ouvrent trop largement aux énergies des autres et, souvent, ne savent pas comment rester en contact avec leurs propres sentiments et leurs besoins individuels ; ni comment s'affirmer et poser leurs limites. D'après mon expérience, ces gens hautement intuitifs ont sou-

vent des problèmes avec leurs corps, des problèmes de poids
ou une maladie chronique. Ils sont guéris de ces problèmes
quand il apprennent à mettre en face de leur nature réceptive,
intuitive, une volonté toute aussi développée d'agir d'après
leurs sentiments et de s'affirmer dans leurs relations personnelles.

Nombre de chercheurs spirituels qui ont passé beaucoup de
temps à méditer, devenant très sensibles et accordés à leur
énergie intérieure, rencontrent aussi des problèmes de déséquilibre. Celui qui cherche se forme une forte image mentale de ce
qu'est être "spirituel", aimant, ouvert et centré. Il veut se comporter en permanence d'après ce modèle et craint par conséquent d'agir spontanément ou d'exprimer honnêtement ses sentiments, de crainte de laisser paraître de la dureté, de la rudesse, de la colère, de l'égoïsme ou du manque d'amour.

Aucun d'entre nous n'est encore pleinement illuminé aussi,
quand nous prenons le rique de nous exprimer plus librement
et honnêtement, ce qui émane de nous peut se révéler en partie grossier, déformé, stupide ou irréfléchi. Pendant que nous
apprenons à agir d'après nos sentiments, toutes les voies où
nous avions des blocages dans le passé sont nettoyées et, dans
ce processus, beaucoup de "vieilleries" remontent à la surface
pour être abandonnées. Nombre d'anciennes convictions et de
schémas émotionnels sont amenés à la lumière et nous en
sommes guéris. Dans cette opération, il nous faut accepter de
regarder en face notre conscience (à peine l'avons-nous vue,
qu'elle est déjà en train de changer). Si nous faisons semblant
d'être plus "unifiés" que nous le sommes vraiment, nous man-
querons l'occasion de nous guérir. Je me suis aperçue que
nous sommes très vulnérables et que nous ne nous contrôlons
pas sur ce point. Je ne dois pas trop me soucier de savoir
quelle allure j'ai, comment me trouvent les autres, ni si ce que
je fais est bien. Je dois juste être telle que je suis maintenant,
du mieux possible, en acceptant le mélange de conscience illu-
minée et de limitation humaine correspondant à ce que je suis
en ce moment précis.

Il n'est pas nécessaire d'être parfait pour être un canal de l'univers. Il faut juste être réel, être soi. Plus vous êtes réel, honnête et spontané, et plus la force créatrice circule librement en vous. En circulant, elle nettoie les restes des vieux blocages. Ce qui se manifeste est quelquefois déplaisant ou inconfortable, mais l'énergie qui circule procure un sentiment fantastique ! Plus vous le lui permettez, plus votre canal devient clair et, par conséquent, plus ce qui en émane est l'expression de l'univers.

Rappelez-vous aussi que certains de nos modèles spirituels reflètent nos "idées pieuses" plus qu'ils ne nous révèlent la forme exacte de l'illumination. Beaucoup de gens ont une image incitant à se montrer tout le temps doux, positif et aimant, ce qui est en réalité une expression de leur ego qui a besoin de se sentir en contrôle, bon et juste. L'univers a beaucoup de couleurs, d'humeurs, de vitesses, de styles et de directions ; en outre, tout change constamment. C'est seulement en abandonnant le contrôle de notre ego et en prenant le risque de suivre sans crainte le courant que nous connaîtrons l'extase d'être un vrai canal.

**Exercice.**

1. Ecrivez toutes les raisons qui vous viennent à l'esprit de ne pas croire ni suivre votre intuition. Ajoutez sur la liste tout ce que vous redouteriez de voir vous arriver si vous faisiez confiance à votre intuition et agissiez toujours en fonction d'elle.

2. Revoyez la méditation de la fin du troisième chapitre (chapitre sur l'intuition).

3. Au moins deux fois par jour (plus souvent si vous pouvez y penser), prenez une minute pour vous détendre, fermez les yeux et "vérifiez" auprès de votre sentiment intérieur si vous êtes en train de faire ce que vous souhaitez.

4. Pendant un jour ou une semaine, supposez que votre intuition est toujours à cent pour cent juste, et agissez comme s'il en était ainsi.

CHAPITRE XI

# LES SENTIMENTS

Parmi les problèmes que je rencontre le plus fréquemment dans mon travail, il y a celui des gens qui ne sont pas en contact avec leurs sentiments. J'accepte ce fait comme mon miroir, aussi travailler avec les autres et les aider à sentir et à exprimer leurs sentiments m'a aidée à être beaucoup plus en contact avec les miens. Quand nous avons réprimé et bloqué nos sentiments, nous ne pouvons pas contacter l'univers en nous, nous ne pouvons pas entendre notre voix intuitive, et nous ne pouvons certainement pas être heureux de vivre.

Il semble que nous soyions nombreux à ne pas avoir reçu beaucoup de soutien affectif réel dans notre enfance. Nos parents ne savaient pas comment traiter leurs propres sentiments, par conséquent encore moins les nôtres. Peut-être étaient-ils trop submergés par leurs difficultés et leurs responsabilités pour être capables de nous donner la réponse affective et le soin dont nous avions besoin.

Quoi qu'il en soit, si nous ne sentons pas que quelqu'un est là pour nous écouter et s'intéresser à nos sentiments, ou si nous obtenons une réponse négative quand nous nous exprimons, nous apprenons vite à réprimer nos émotions. Nous enfermons nos sentiments, nous bloquons le cours de l'énergie vitale qui circule dans nos corps. L'énergie de ces sentiments non perçus, non exprimés, y reste prisonnière et provoque un inconfort émotionnel et physique, et finalement un disfonctionnement et une maladie. Nous devenons ternes et relativement apathiques.

Je rencontre chaque jour, dans mes ateliers et dans mes

consultations privées, des personnes qui ont étouffé leurs sentiments durant toute leur vie. Beaucoup de gens craignent de ressentir leurs soi-disant émotions "négatives" : tristesse, chagrin, colère, peur, désespoir. Ils craignent d'être submergés par leurs émotions s'ils tentent l'expérience de s'ouvrir à ces sentiments. S'ils s'aventurent sur ce terrain, ils sont terrifiés à l'idée de ne plus jamais pouvoir en sortir.

En fait, le contraire est vrai. Quand vous êtes prêt à entrer totalement dans un sentiment, l'énergie bloquée est rapidement libérée et le sentiment se dissout. Quand je reçois quelqu'un qui souffre d'un bloquage émotionnel, je l'aide à plonger dans son sentiment et à s'en laisser submerger. Une fois qu'il est complètement ressenti et exprimé, il se dissipe en général en quelques minutes. Il est étonnant de voir des gens, qui ont réprimé un sentiment douloureux pendant trente, quarante ou cinquante ans, s'en libérer en quelques minutes et l'échanger contre un sentiment de paix.

Quand vous avez ressenti et relâché les émotions bloquées de votre passé, un grand flot d'énergie et de vitalité enrichit votre vie. Il est important d'apprendre à être en contact avec vos sentiments dès qu'ils surviennent : de cette façon, ils peuvent continuer à circuler et votre canal reste libre.

Les émotions sont de nature cyclique, comme le temps, elles changent constamment. En une heure, un jour ou une semaine, nous pouvons éprouver une grande diversité de sentiments. Si nous le comprenons, il nous est possible d'apprendre à apprécier tous nos sentiments et à les laisser simplement changer sans cesse. Mais si nous avons peur de certains sentiments, comme la tristesse ou la colère, nous allons nous servir de nos freins émotionnels dès que nous commencerons à les ressentir. Ne voulant pas les ressentir totalement, nous restons coincés à mi-chemin et nous ne sommes jamais délivrés d'eux.

Souvent les gens qui viennent à mes ateliers veulent apprendre à "penser positivement", de façon à ne pas se sentir si bloqués par leurs sentiments négatifs. Ils sont surpris quand je les pousse à ressentir davantage, et non pas moins, leurs sentiments négatifs ! C'est seulement en aimant et en acceptant toutes les parties de nous mêmes que nous pouvons être libres et comblés.

Nous avons tendance à penser que certains sentiments sont "douloureux" et nous souhaitons donc les éviter. Toutefois, j'ai découvert que la souffrance est en fait *la résistance à une sensation*. La souffrance est un mécanisme dans notre corps physique, destiné à nous aider à éviter un dommage physique. Si vous touchez un poêle brûlant, vous avez mal ; cette douleur est la résistance à la sensation de chaleur que vous éprouvez ; elle vous amène à retirer votre main et ainsi à éviter de nuire à votre corps.

Aussi, au niveau physique, la souffrance est un mécanisme utile, car elle nous préserve du danger. Toutefois, si une sensation n'est pas vraiment dangereuse, vous pouvez vous détendre, et la souffrance diminuera et disparaîtra. Par exemple, si vous forcez sur un muscle, vous aurez d'abord mal, mais si vous vous relaxez doucement et régulièrement dans la position où il est étiré, la douleur disparaîtra. Pendant l'accouchement, si la femme résiste aux sensations intenses qu'elle éprouve, elle aura mal. Plus elle est capable de se détendre dans la sensation, moins elle souffrira.

Au niveau émotionnel, c'est notre *résistance à un sentiment qui nous fait souffrir*. Si, par peur d'un certain sentiment, nous le réprimons, nous éprouverons une souffrance émotionnelle. Si nous nous autorisons à le ressentir et à l'accepter pleinement, il devient une sensation intense, mais cependant pas douloureuse.

Il n'existe pas de sentiments "négatifs" ou "positifs", c'est nous qui les rendons négatifs ou positifs en les rejetant ou en les acceptant. Pour moi, tous les sentiments font partie de la sensation merveilleuse et toujours changeante d'être en vie. Si nous aimons tous les sentiments dans leur variété, ils deviennent autant de couleurs de l'arc-en-ciel de la vie.

Voici quelques émotions dont les gens semblent avoir le plus peur, et quelques explications sur la façon de les traiter.

La peur : il est capital de simplement reconnaître et accepter vos peurs. Si vous acceptez d'avoir peur, sans essayer de dépasser vos peurs, vous commencerez à vous sentir plus en sécurité, et la peur diminuera.

La tristesse : elle est liée à l'ouverture de votre cœur. Si vous vous autorisez à être triste, en particulier si vous pouvez pleurer, vous découvrirez que votre cœur s'ouvre davantage et que vous pouvez ressentir plus d'amour.

Le chagrin : c'est une forme intense de tristesse, liée à la mort ou à la fin de quelque chose. Il est très important de vous laisser aller totalement au chagrin sans essayer d'en finir au plus vite. Le chagrin tend parfois à durer longtemps, ou à revenir périodiquement pendant très longtemps. Vous devez l'accepter et vous soutenir, dans les moments où il se manifeste, pour le vivre à fond.

La peine : c'est une expression de la vulnérabilité. Nous avons tendance à la masquer par le reproche ou la défensive, pour ne pas avoir à admettre combien nous nous sentons en réalité vulnérable. Il est important d'exprimer sa peine directement et, si possible, sans faire de reproches (par exemple "Je me suis vraiment senti peiné quand tu es parti sans me proposer de venir avec toi", au lieu de : "Tu te moques de ce que je ressens. Comment peux-tu être aussi insensible", etc.).

Le désespoir : il est lié à l'abandon. Quand vous vous sentez désespéré, votre ego démissionne ; vous admettez qu'aucun de vos anciens schémas ne marche. Si vous vous autorisez à vraiment abandonner et à ressentir complètement le désespoir, il sera suivi par la paix, et un niveau d'abandon nouveau à l'univers.

La colère : quand nous réprimons notre vraie puissance et laissons les autres exercer un pouvoir injustifié sur nous, nous devenons la proie de la colère. En général, nous réprimons cette colère et y perdons notre vitalité. Dès que nous reprenons contact avec notre puissance, la première chose que nous ressentons est la colère accumulée en nous. Aussi, chez beaucoup de gens qui deviennent plus conscients, le fait d'entrer en contact avec leur colère constitue un signe très positif. Il indique qu'ils se réapproprient leur puissance.

Si vous vous êtes permis de vous mettre beaucoup en colère dans votre vie, vous commencerez par chercher des situations et des gens qui déclenchent votre colère. Ne vous attachez pas trop au problème extérieur, autorisez-vous simplement à ressentir la colère et reconnaissez en elle votre puissance. Visualisez en vous un volcan en éruption qui vous remplit de puissance et d'énergie.

Les gens sont souvent très effrayés par leur colère, ils craignent qu'elle n'ait des répercussions fâcheuses. Si tel est votre cas, permettez-vous de ressentir pleinement votre colère en créant une situation dans laquelle vous pouvez l'exprimer sans risque, soit seul, soit avec un conseiller ou un ami de confiance. Laissez-vous extravaguer, divaguer, frapper et crier, devenez fou, lancez ou battez les oreillers, suivez toutes vos impulsions. Une fois cela fait dans un environnement sûr (vous aurez peut-être à recommencer plusieurs fois), vous n'aurez plus peur de commettre un acte destructeur et vous serez capable de gérer les situations de votre vie avec plus d'efficacité.

Si, au contraire, vous avez ressenti et exprimé beaucoup de colère dans votre vie, il vous faut chercher la blessure qui se trouve en-dessous et l'exprimer. Vous utilisez la colère comme un mécanisme de défense pour éviter d'être vulnérable.

Apprendre à vous affirmer est la clé de la transformation de la colère en une acceptation de votre puissance. Apprenez à demander ce que vous voulez et à faire ce que vous voulez, sans être indûment influencé par les autres. Dès que vous cesserez d'abandonner votre pouvoir aux autres, vous n'éprouverez plus de colère.

L'acceptation de nos sentiments est directement liée au fait de devenir un canal créateur. Si vous ne laissez pas couler vos sentiments, votre canal se bloquera. Si vous accumulez beaucoup d'émotions en vous, vous êtes envahi par des voix qui hurlent, qui gémissent, vous empêchant d'entendre la voix plus subtile de votre intuition.

Les gens ont souvent besoin d'aide pour ressentir et relâcher d'anciens blocages émotionnels et apprendre à vivre plus près de leurs sentiments. Si vous croyez être dans ce cas, trouvez un bon conseiller ou un thérapeute, ou un groupe pratiquant la consultation (où les participants se conseillent l'un l'autre). Pour chercher un thérapeute, renseignez-vous auprès des gens que vous connaissez et n'hésitez pas à en voir plusieurs jusqu'à ce que vous trouviez celui qui vous convient. Essayez d'en trouver un qui vous paraît en contact avec ses propres sentiments et qui se mette en relation avec vous d'une façon franche et authentique.

Que vous cherchiez l'aide d'un professionnel ou non, habituez-vous à vous demander plusieurs fois par jour comment vous vous sentez. Essayez d'apprendre à distinguer ce que vous *pensez* de ce que vous *ressentez* (beaucoup de gens ont des difficultés dans ce domaine). Acceptez et appréciez le plus possible vos sentiments et vous découvrirez qu'ils sont la porte ouverte sur une vie riche, pleine et passionnante.

## Exercice

Quand vous vous réveillez le matin, fermez les yeux et portez votre attention sur le milieu de votre corps - votre cœur, votre plexus solaire et votre abdomen. Demandez-vous comment vous vous sentez émotionnellement en cet instant précis. Essayez de distinguer les sentiments des pensées dans votre tête. Vous sentez-vous paisible, agité, anxieux, triste, irrité, joyeux, frustré, coupable, aimant, solitaire, comblé, sérieux, d'humeur joyeuse ?

S'il semble y avoir un sentiment pénible ou disharmonieux, entrez en lui et donnez-lui la parole. Demandez-lui de vous parler et de vous dire ce qu'il ressent. Essayez vraiment de l'entendre et d'écouter son point de vue. Soyez compréhensif, aimant et coopératif envers vos sentiments. Demandez ce que vous pouvez faire pour prendre mieux soin de vous.

Répétez cet exercice le soir avant de vous endormir et à n'importe quel moment de la journée où cela vous paraît opportun.

CHAPITRE XII

# TYRAN ET REBELLE

Le tyran et le rebelle constituent deux parties de la personnalité, je les ai identifiées chez nombre de gens avec lesquels je travaille. Le tyran est la voix intérieure qui nous dit ce que nous devons et ne devons pas faire. Elle représente toutes les règles et nos attentes rigides. C'est une voix qui contrôle et qui exige. Le rebelle est la partie de nous-mêmes qui refuse de faire tout ce qu'on lui ordonne. Elle réagit par la rébellion totale à toute influence de contrôle et elle n'a confiance en personne. Quand le tyran dit : "Fais ceci", le rebelle répond : "Pas question".

Le rebelle s'est développé dès l'enfance face aux exigences et aux pressions des autorités extérieures (parents, professeurs, église, etc.). Au départ, le rebelle essayait de protéger nos sentiments en refusant de croire tout ce que notre intuition savait faux. Si, par exemple, vous n'étiez pas d'accord avec les projets que vos parents formaient pour vous, votre rebelle refusait de coopérer (par la rébellion ouverte ou par la résistance passive). Le rebelle se préoccupait de soutenir vos désirs. Il maintenait votre personnalité en vie.

Chez certains, le rebelle domine. Des enfants qui ont eu affaire à des parents et à des autorités très exigeants et directifs, et qui étaient contraints de plier devant la volonté des autres, soit se sont perdus eux-mêmes, soit ont été qualifiés de rebelles non-coopératifs s'ils ont été amenés à défendre constamment leurs besoins et leurs désirs. Par exemple, un enfant qui a eu un parent dominateur voulant contrôler ses moindres actes (le tyran extérieur), a été forcé de développer un rebelle solide pour assurer la survie de son individualité. Une enfant qui a grandi dans un foyer alcoolique a construit un rebelle intérieur pour se protéger de l'inconsistance de son environnement. Parce qu'il n'y avait personne à qui elle pouvait se fier pour trouver une vérité cohérente, elle a appris à ne faire confiance à personne.

Le rebelle surdéveloppé devient un problème si la personne commence à se rebeller contre tout et tout le monde. Le rebelle apprend à se méfier de tout ce qui est plus ou moins dominateur, y compris ses demandes internes (le tyran intérieur). Votre patron vous fait par exemple une demande raisonnable et vous vous mettez en colère et renâclez à vous exécuter ; vous vous exhortez à ne pas manger de gâteau au chocolat et pourtant vous vous servez trois fois ; ou vous décidez de faire de la gymnastique tous les matins pour finir par rester au lit.

Notre tyran intérieur se développe lorsque nous entendons les voix exigeantes de notre entourage. Si nous sommes entourés de parents, de professeurs et d'autres autorités qui ont des idées arrêtées sur ce que nous devrions faire et ne pas faire, nous apprenons à nous traiter nous-mêmes d'une façon analogue. Nous commençons à intérioriser ces voix, à avoir des exigences envers nous-mêmes. Nous découvrons que le tyran intérieur peut produire des résultats efficaces en nous menant à l'accomplissement extérieur. Par exemple, un enfant qui a des parents exigeants sera peut-être toujours premier. Il apprend alors à intérioriser leurs attentes, ce qui le conduira à de grands accomplissements dans le monde.

Les gens ne développent pas leur tyran intérieur uniquement pour gagner l'approbation extérieure, mais aussi pour se protéger eux-mêmes des tyrans extérieurs. Si vous vous dites que vous êtes paresseux et que, par conséquent, vous vous poussez vous-même à agir, vous évitez de vous l'entendre dire par les autres. Dans un sens, vous repoussez la critique extérieure avec votre propre tyran intérieur.

Le tyran veut être entendu et il veut de la coopération. Si

vous essayez d'ignorer sa voix, vous le frustrez. Il parlera alors plus fort et deviendra plus exigeant, jusqu'à ce que vous l'entendiez. Vous vous trouvez alors dans la situation où le tyran et le rebelle se battent en vous. Une partie de vous dit : "Cherche du travail" et l'autre dit : "Non" ; une partie dit : "Tu aurais intérêt à faire quelque chose de ta vie" et l'autre cultive la léthargie. Ni le tyran ni le rebelle ne vous écoutent, ni ne vous protègent plus. Ils ont désormais leur propre personnalité et agissent en réaction l'un par rapport à l'autre. A ce stade, les gens se sentent bloqués. L'énergie ne peut plus circuler dans une situation où deux parties de vous-même sont en conflit et où vous ne retournez pas vers votre intuition pour être guidé.

Le meilleur moyen de débloquer l'énergie consiste à vous observer. Reconnaissez que vous êtes bloqué, puis regardez votre conflit interne. Faire la lumière sur le tyran et sur le rebelle, les voir tels qu'ils sont, c'est amoindrir leur pouvoir. Vous vous rendrez compte qu'aucun des deux n'est la voix de votre intuition. Ils sont de vieilles voix réactionnaires qui continuent à régir votre vie. Plus tôt vous vous en apercevez, plus vite vous vous libérez de ce qu'ils vous disent. Quand vous arrivez à ce stade, le pas suivant consiste à rentrer en vous-même pour voir ce que veut votre femme intérieure, et à agir en conséquence. Cela vous permettra de débloquer l'énergie. La vraie source du mouvement de l'énergie et de la puissance réside dans la paix de toujours contacter votre voix intérieure, d'en recevoir la guidance et agir selon elle.

Une de mes clientes était mécontente dans sa carrière et sentait qu'elle allait provoquer son renvoi. Elle travaillait dans un bureau et faisait un travail administratif pour un représentant. Bien que possédant de grandes capacités d'organisation, elle accumulait les oublis. Son patron venait la trouver, lui rappelait ce qui n'avait pas été fait et elle rageait. Elle se rendit compte qu'elle se mettait en colère chaque fois que son patron lui disait de faire quelque chose, pourtant il ne lui demandait rien d'extraordinaire. Elle ne pouvait pas se permettre de perdre son emploi, mais elle ne voulait pas rester. Elle se sentait piégée. Alors que nous parlions, elle commença à identifier son côté rebelle. Elle vit qu'elle se battait contre le tyran, qui la poussait à garder cet emploi, et son patron qui avait une position de "contrôle". Elle se reporta à son enfance et chercha quand elle avait commencé à développer un rebelle intérieur. Elle s'aperçut qu'elle avait eu des problèmes d'autorité dans d'autres emplois et à l'école. Elle prit conscience d'être perturbée par de vieux schémas.

Ayant fait cette découverte, elle fut prise immédiatement du désir de changer ce qui la gênait en elle. Je lui dis qu'elle ne pouvait pas s'attaquer n'importe comment à ses émotions. En essayant de changer ou de paralyser son rebelle, elle activait le tyran, et le rebelle continuerait à se battre. Elle devait commencer par observer ses réactions et accepter de se comporter selon ce schéma. Quand elle eut vraiment compris ce que je lui expliquais, je la priai de fermer les yeux et de rentrer en elle, en un endroit profond. Il lui fallait demander à son intuition ce qu'elle voulait vraiment.

Il en résulta qu'elle voulait faire de la représentation mais avait peur d'essayer. Elle s'irritait de se voir assise derrière un bureau, alors qu'elle était faite pour un autre travail.

Après avoir découvert ce qu'elle voulait faire, elle réussit à entreprendre plusieurs démarches dans ce sens. Elle décida de garder son emploi pour quelques temps, tout en sollicitant l'aide de son patron pour atteindre son but. Elle décida d'avoir plusieurs entretiens d'information dans des sociétés de vente, pour se faire une idée des endroits où elle aimerait travailler. Ayant vu clairement ce qu'elle voulait et discuté sur la façon d'y parvenir, elle se sentait beaucoup mieux.

Une semaine plus tard, elle m'appela pour me dire que le combat continuait en elle entre son tyran et son rebelle, mais qu'ils semblaient moins puissants. Elle soutenait toujours son projet de faire de la vente et son patron, disposé à l'aider, lui donnait des contacts.

Ni le tyran, ni le rebelle ne sont vraiment vous. Si vous apprenez à croire et à suivre votre intuition, ils se dissolvent tous les deux et vous émergez dans votre vraie réalité.

## Exercice.

Identifiez en vous quelques règles ou comportements qui vous semblent exigeants et directifs à votre égard (tyranniques). Utilisez les catégories ci-dessous, en plus des vôtres. Des exemples sont donnés entre parenthèses.

Travail - (Il faut que je travaille dur pour arriver. Je ne peux pas gagner d'argent en faisant ce que j'aime).

Argent - (Je n'aurai jamais assez d'argent. Il faut que j'économise de l'argent au cas où il m'arriverait quelque chose. Je ne peux pas me permettre d'être dépensier).

Relations - (Il faut que je me trouve quelqu'un. Il faut que je plaise à mon compagnon (ma compagne). Il faut que je sois monogame. Je devrais me contenter de ce que j'ai).

Sexe - (Je dois avoir un orgasme à chaque rapport sexuel. Il faut que j'éprouve de l'amour pour avoir des rapports sexuels. Il faut que je sois le meilleur et le plus sensuel des amants).

Ecrivez maintenant toutes les pensées rebelles correspondantes qui vous viennent à l'esprit par exemple : "Qu'importe le travail ! Je vais quitter le mien", ou : "Qu'importe l'argent ! Je n'en ai pas besoin" ou : "Je vais faire tout ce que je veux en cachette de mon (ma) partenaire".

Après avoir écrit les dialogues du tyran et du rebelle, entrez dans un endroit profond en vous et demandez-vous ce que vous voulez le plus ; découvrez ce qui est vrai pour vous. Ecrivez toutes les pensées ou sentiments qui vous viennent à l'esprit.

# CHAPITRE XIII

# VICTIME ET SAUVETEUR

La conscience de victime réside dans le fait de croire que l'on est impuissant ; le monde, les gens et l'économie agissent sur nous et nous n'avons pas d'autre choix que d'accepter ce qui se trame en dehors de nous. Nous avons le sentiment de ne pas pouvoir nous protéger de l'extérieur.

En tant que victimes, les gens engagent des sauveteurs pour les sauver. Les sauveteurs ne savent pas s'occuper d'eux-mêmes, aussi se tournent-ils vers les autres, pour essayer inconsciemment de satisfaire leurs propres besoins de façon indirecte. Ils ont besoin de s'occuper d'une victime. Un sauveteur croit que les autres sont faibles ou impuissants et ont besoin de son aide.

Je crois que beaucoup de gens ont affaire aux deux côtés de ce processus. La plupart des victimes dépensent du temps et de l'énergie à essayer de sauver les autres, au lieu d'apprendre à prendre soin d'elles-mêmes. Vous ne pouvez donc pas être un sauveteur, si vous n'avez pas aussi en vous une victime. Il semble y avoir cependant des gens qui sont strictement des sauveteurs ou des victimes. Aux deux extrêmes, il y a des gens qui ont toujours des problèmes et qui ont désespérément besoin de l'aide des autres, et des martyrs dont la raison de vivre est de sauver les autres. En général, nous oscillons entre ces rôles d'une manière plus nuancée.

## Transformation de la conscience de sauveteur.

Nous voyons tous la souffrance dans le monde. Elle est partout, en chacun de nous, chez les gens autour de nous, dans les journaux et à la télévision. Pour transformer cette souffrance, il faut commencer par ne rien renier. Il faut la voir, la sentir, puis comprendre qu'elle n'est pas séparée de nous. Nous ne serions pas confrontés à la famine, au meurtre et à la maladie, s'il n'y avait pas une partie de nous pour croire en ce processus et le soutenir. (voir chapitre : Transformons notre monde).

Pour obtenir une transformation, nous devons prendre la responsabilité de notre propre souffrance et entrer en contact avec la puissance de l'univers en nous pour qu'il aide à notre guérison. Quand vous voyez quelqu'un souffrir ou se sentir désespéré, sachez que la souffrance et le désespoir sont aussi en vous. Vous ne seriez pas amené à aider cette personne si vous ne vous identifiiez pas à elle et si vous ne ressentiez pas un désespoir semblable. Que vous soyez victime ou sauveteur, l'énergie est bloquée.

L'énergie reste bloquée aussi longtemps que les gens croiront voir la solution ou le problème chez les autres. Pour bloquer l'énergie et susciter l'aide de l'univers, sauveteurs et victimes ont tous besoin d'aller en eux-mêmes pour demander à être guidés.

Les sauveteurs ne voient pas combien ils ont besoin d'aide. Ils sont tellement occupés à aider les autres, qu'ils ne voient pas leur souffrance à eux. Dès qu'ils commencent à percevoir leurs propres sentiments, ils les étouffent en trouvant à s'occuper de quelqu'un d'autre. Le sauvetage est en général un schéma d'enfance bien installé. Dans mon propre cas, je sais que j'ai commencé à m'occuper des autres très tôt. J'étais bébé quand mes parents ont divorcé et j'ai ressenti très vite le besoin de me comporter en adulte. J'assumais cette responsabilité, mais ce processus m'amena à négliger mes propres sentiments.

J'ai été un sauveteur extrême. J'ai voulu sauver le monde. J'essayais toujours d'aider les gens. J'animais des ateliers voulant que les gens bénéficient du grand enseignement que j'avais à leur offrir. Je le jugeais si important que les gens devaient en

avoir besoin et avoir besoin de moi. Dans mes relations personnelles, j'ai fait la même chose. J'attirais beaucoup d'amoureux et
d'amis qui avaient apparemment besoin de mon aide.

En devenant plus consciente, jai commencé à voir que lorsque
je secourais les gens, je leur disais télépathiquement : "Je n'ai pas
confiance en vous et je trouve que vous ne vous assumez pas.
Je pense que vous êtes un malheureux, que vous êtes moins
avancé que moi et que vous avez besoin d'aide".

La personne que vous sauvez comprend tout cela télépathiquement, par conséquent vous la minez au lieu de l'aider. Plus
important encore : vous ne prenez pas soin de vous-même et ce
serait pourtant la seule chose qui pourrait faire circuler l'énergie
et transformer la situation. Vous avez besoin d'admettre que
vous vous posez en général en sauveteur, parce que vous craignez d'être abandonné par les autres. Cette crainte se formule
ainsi : "Si je ne m'occupe pas des autres, ils me laisseront tout
seul". Dès que vous commencez à rentrer en vous pour vous occuper de votre propre guérison, vous vous apercevrez que quelqu'un est là pour vous : vous-même. Aussi étonnant que cela
paraîsse, quand vous vous soutenez vous-même émotionnellement, les autres le reflètent en vous donnant énormément
d'amour et de soutien.

Je sais qu'il est difficile de changer les vieux schémas. La peur
et la culpabilité ressortent au cours de ce processus. Des pensées
font surface, comme : "Est-ce que je mérite vraiment de garder
du temps pour moi ? Qu'arrivera-t-il aux gens qui ont besoin de
mon aide ?" Les voix de la culpabilité et de la peur se tairont
seulement quand vous commencerez à voir des résultats. Les
gens que vous vouliez sauver se mettront à prendre soin d'eux-
mêmes et vous vous sentirez mieux.

Je n'essaie pas de décourager les gens d'aider les autres. Je
vous suggère simplement, avant de le faire, d'admettre que vous
êtes en train de le faire pour vous-même. Admettez que cette
souffrance est aussi la vôtre. Rentrez ensuite en vous, et demandez de l'aide à l'univers : "Univers, aide-moi à transformer cette
situation. Aide-moi à me guérir afin que je puisse être un canal

pour ta lumière". En agissant ainsi, vous ne vous concentrez plus sur l'autre, vous admettez votre propre sentiment d'impuissance, et vous demandez à être guidé et aidé.

La seule façon d'aider vraiment les autres consiste à faire exactement ce que vous voulez faire. Si vous dites : "Oh, je *devrais* intervenir dans ce problème", ce n'est pas l'univers ; ce sont vos "je devrais" et votre culpabilité, ou peut-être votre ordinateur mental qui essaie de trouver une solution rationnelle. Si vous faites confiance aux sentiments qui viennent du plus profond de vous-même et agissez seulement d'après ce que vous ressentez d'instant en instant, l'univers est alors libre de circuler en vous de façon spontanée et imprévisible.

Il peut par exemple vous sembler dur ou cruel de ne pas aider un ami qui attend quelque chose de vous. Pourtant si vous vous sentez réticent à donner dans cette situation (tout en sachant que vous êtes normalement quelqu'un de généreux), vous devez vous fier à ce sentiment et prendre le risque de dire "non" à votre ami. En l'aidant, vous auriez très probablement soutenu une forme d'impuissance chez lui. En faisant confiance à votre sentiment et en "n'aidant pas", vous aidez en fait votre ami à mieux découvrir sa propre puissance.

Dans un autre cas, il pourra vous sembler absolument merveilleux de donner à quelqu'un. Faites confiance à ce sentiment et donnez librement. Quand le don vient de votre cœur et ne demande pas de sacrifice de votre part, vous savez que l'univers passe par votre canal.

L'univers ne suit pas nos louables idées sur la façon dont les choses doivent être, ni nos plans soigneusement élaborés, ni nos opérations de sauvetage. Il nous guide par des voies qui permettent à la lumière de passer.

### Transformation de la conscience de victime.

Les gens cessent d'être des victimes quand il n'y a plus personne pour les sauver ou quand mettre leurs problèmes sur le compte des autres devient si douloureux qu'ils ont le désir de changer. Les deux se produisent d'ordinaire en même temps. Les autres se lassent de vous sauver au moment même où vous vous lassez d'être une victime.

En transformant leur conscience de victime, les gens changent toute une vie de croyances. On nous a dit dès la naissance que l'important était l'extérieur, aussi y cherchons-nous guérison, pouvoir et amour. Et quand rien ne vient, nous commençons à critiquer. Regarder en soi, au contraire, c'est aller à l'encontre de tout ce que nous avons appris. Nous nous débarrassons d'une vieille habitude de critiquer et nous nous tournons vers l'univers pour atteindre l'illumination. Dès que vous vous sentez victime, rentrez en vous, c'est la clé. Demandez : "Univers, montre-moi ce dont j'ai besoin pour guérir ceci. Aide-moi à comprendre que tu es la source de mon pouvoir". Restez alors ouvert aux réponses qui se présentent. Elles peuvent venir de différentes façons : un message de l'intérieur, un coup de téléphone, une offre d'aide de quelqu'un. Quand je dis : "rentrez en vous pour chercher les réponses", cela n'exclut pas que vous receviez de l'aide de l'extérieur. Vous devez simplement vous assurer d'être conscient que le pouvoir de l'univers est en *vous* et que vous pouvez attirer ce dont vous avez besoin. Sachez que vous êtes complètement responsable de la situation dans laquelle vous vous trouvez et tournez-vous vers l'univers en vous, *avant* de chercher de l'aide à l'extérieur.

De cette façon, vous honorez votre puissance. Votre femme intérieure le sentira et y répondra en canalisant plus de sagesse et de puissance à travers vous.

Ce processus amène une guérison majeure quand les gens en arrivent à refuser de se voir eux-mêmes et de voir les autres comme sans pouvoir. Même les événements qui semblent "accidentels" sont attirés par les gens pour se guérir de leurs anciens schémas et croyances.

Quand, dans mes ateliers, des gens se trouvent dans des situations apparemment "impossibles" ou "désespérées", je les encourage à découvrir leur pouvoir dans ces situations ; à observer les choix qu'ils ont faits et comment ils ont pu avoir besoin de créer ces situations pour en apprendre plus sur eux-mêmes.

Ne sachant pas comment nous traiter avec douceur, nous avons choisi la leçon de la rudesse. Nos voix intérieures veulent être entendues et si nous les ignorons en permanence, nous sombrons dans un malaise croissant. Les accidents, la maladie et la souffrance peuvent être évités, si nous acceptons de nous écouter nous-mêmes et d'agir d'après notre guide intérieur. Réfléchissez aux histoires suivantes, qui illustrent différents aspects de la conscience de victime/ sauveteur :

Une femme me confia dans un atelier qu'elle avait été tirée de son sommeil et violée. Au début, il lui était impossible de voir où était son pouvoir dans cette situation, ni comment elle avait pu choisir une façon si douloureuse et effrayante de se guérir. Après son viol, elle se sentait complétement vulnérable et craignait de se faire violer à nouveau.

Pour la libérer d'une part de sa peur, je sentis qu'il était important pour elle de voir pourquoi elle avait créé cette situation. De cette façon, il lui serait possible d'entrevoir la guérison potentielle qu'elle contenait. En voyant qu'elle avait le choix, elle pouvait aussi laisser toute peur d'être à nouveau victime.

Elle se mit à chercher la cause profonde de son viol. Pendant des années, elle avait craint d'être agressée par un homme et croyait profondément que cela pouvait lui arriver. Elle découvrit aussi qu'elle avait passé sa vie dans le rôle de victime. Elle voyait en général les autres comme ayant un pouvoir sur elle, tandis qu'elle n'avait pas d'autres choix que de se soumettre à ces pouvoirs. Pour moi, elle créait une situation extérieure qui reflétait et intensifiait ce qu'elle ressentait en elle. En amenant ses croyances au niveau conscient, elle se donnait la possibilité de s'en délivrer. Elles perdaient leur contrôle sur elle à un niveau inconscient.

Alors qu'elle réfléchissait aux raisons de ce qu'il lui était arrivé, il devenait très important pour elle *d'éprouver* pleinement tous ses sentiments à propos du viol. Elle avait beaucoup de colère à exprimer à l'égard du violeur et envers d'autres personnes. Quand nous nous rendons compte comment nous avons attiré à nous des choses négatives, il est important de ne pas tourner notre colère ou notre peur vers l'intérieur, sur nous-mêmes. Même si notre intellect semble dominer la situation, les sentiments ont encore besoin d'être exprimés. La femme violée avait besoin d'entrer totalement dans ses sentiments pour en être délivrée et pouvoir retrouver sa puissance personnelle. Elle était prête à le faire. Quinze jours après l'atelier, elle m'appela pour me dire qu'elle réussissait à se coucher le soir sans laisser la lumière allumée de crainte d'être attaquée.

Une autre cliente avait travaillé comme thérapeute dans le département alcool et drogue d'un hôpital local. Elle commençait à s'y épuiser, mais elle avait le sentiment de ne pas pouvoir prendre de congés sans compromettre son emploi. Elle s'était perdue aussi à vouloir aider les autres et ne voyait pas comment s'aider elle-même. Elle continua donc à apparaître à son travail, à sauver les autres tout en négligeant ses sentiments intérieurs qui réclamaient violemment son attention. Sa fatigue s'accrût, ses clients commencèrent à l'agacer et elle était presque toujours en colère. Sa voiture tomba trois fois en panne en trois mois, et son espoir de quitter son travail diminuait à mesure qu'augmentaient ses frais de réparation. Elle ne voyait pas d'issue.

Comme elle ne faisait rien pour sa colère et sa frustration, elle commença à avoir peur de tout, peur d'aller travailler, peur de ses clients et peur de sa situation. Elle était enfermée dans le processus du sauveteur et se sentait devenir victime de sa situation financière. Elle se mit à désespérer.

Un jour, elle vint travailler, mais fut incapable de recevoir aucun client. Elle commença à pleurer sur son sort. Ses collègues l'encouragèrent à prendre quelques jours de repos. Comme elle souffrait aussi des effets secondaires de son stress, elle vit son docteur, qui la mit en congé de maladie pour surmenage.

Elle quitta la ville pendant un mois et se reposa. Elle se mit à écouter ses besoins intérieurs, à agir en conséquence et à se guérir.

En rompant avec le modèle du sauveteur et de la victime, elle libéra une abondante énergie créatrice qui avait été bloquée par son travail. Elle découvrit que sa créativité pouvait être canalisée de différentes façons. Elle entreprit d'animer des ateliers dynamiques et recommença à s'exprimer par l'écriture. Elle choisit de ne pas retourner travailler à l'hôpital.

Une autre femme dans mes ateliers avait eu une série de petits accidents dans sa maison. Intuitivement, elle avait senti qu'elle ne devait plus se contraindre à accomplir certains projets de travail, mais elle avait aussi le sentiment de ne pas pouvoir se risquer à ralentir son rythme. Elle continua à se forcer jusqu'au jour où un accident de voiture l'envoya à l'hôpital. Dans cette situation, ne pouvant plus s'obliger à rien, elle se trouva face à son besoin de ralentir ses activités. Pendant son séjour à l'hôpital, elle décida de vendre sa maison et de se retirer des affaires. Elle se mit à voyager, se permettant de faire tout ce qu'elle avait toujours désiré. Elle n'eut pas d'autre accident et est maintenant heureuse et passionnée par sa vie.

**Exercice.**

### Processus victime/sauveteur

### Partie I

1. Dressez la liste de tous les cas où vous vous sentez impuissant ou victime.

2. Commencez par la première situation de votre liste, fermez les yeux et imaginez-vous dans cette situation d'impuissance. Ressentez la frustration, la faiblesse et le désespoir qui habitent votre vie. Passez-y quelques minutes.

3. Imaginez-vous maintenant furieux, bouillonnant de rage pour l'impuissance que vous vous êtes fait éprouver au cours de votre vie. Laissez votre colère être l'énergie qui vous aide à décider de ne plus jamais vous traiter ainsi.

4. Ensuite, voyez-vous empli d'un sens du pouvoir, de la force, de la créativité, de la magnificence et de l'esprit. Représentez-vous ayant le choix. L'ayant vu et éprouvé, cherchez comment vous pourriez faire face à la situation d'impuissance dans laquelle vous vous trouvez. Acceptez toutes les images ou idées qui vous viennent.

5. Répétez ces quatres points pour chaque situation de votre liste.

## Partie II

1. Dressez la liste de toutes vos façons de secourir les autres.

2. Pour chaque situation, fermez les yeux et imaginez que la ou les personnes que vous voulez sauver sont puissantes. Renvoyez-les à leur propre force, à leur propre lien avec l'univers.

3. Imaginez alors qu'il vous faut prendre soin de vous-même dans chaque situation. Que pouvez-vous faire pour vous sentir vous-même comblé ?

# CHAPITRE XIV

# TROUVEZ VOTRE ÉQUILIBRE

En tant que canaux de l'univers, nous devons disposer de toute une gamme d'expressions et d'émotions. Si le pouvoir supérieur nous dit de bondir en avant, nous devons être capables de bondir sans poser de questions. S'il nous dit d'attendre, il nous faut être capable de nous relaxer et d'apprécier un espace de non-activité jusqu'au prochain message. Nous serons toujours poussés à explorer les aspects de nous-mêmes qui sont les moins développés, à nous exprimer et à nous découvrir selon des modes nouveaux. Si nous ignorons ces impulsions intérieures, nous serons de toute façon forcés par les circonstances extérieures de la vie à explorer notre être intérieur. Notre moi supérieur veille afin que nous recevions d'une manière ou d'une autre le message concernant ce que nous avons à faire. Il se peut que nous ayions à aller d'un extrême à l'autre avant de trouver l'équilibre.

Il faut vous attendre à ce que votre intuition vous oriente dans des directions nouvelles et différentes pour vous. Si vous êtes installé dans un type de personnalité ou de schéma, il vous sera probablement demandé de commencer à exprimer le contraire. Il est bon de le savoir, spécialement si vous êtes en train d'apprendre à entendre votre voix intérieure. Une bonne règle serait de "s'attendre à l'inattendu".

J'ai découvert qu'il y a sans doute deux types de personnalités de base. Il vous sera assez utile de reconnaître votre tendance dominante. Certains sont une combinaison des deux ; en général, ils suivent un schéma dans certains domaines de leurs vies et l'autre dans les autres domaines.

On pourrait appeler ces deux types "celui qui fait" et "celui qui est". Ils correspondent en gros aux types A et B de personnalités dans la terminologie psychologique ordinaire.

Ceux qui font sont principalement orientés vers l'action. Ce sont des gens qui savent comment s'y prendre et n'ont en général pas peur de sortir d'eux-mêmes et de se risquer à s'exprimer ou à faire des expériences nouvelles. Ils sont fondamentalement doués pour exprimer leur énergie orientée vers l'extérieur. Ils ont du mal à recevoir. Ils n'aiment pas se sentir vulnérables. Pour eux, le plus difficile est de ne rien faire - de ne pas être engagé dans une activité constructive. Le temps non structuré les met mal à l'aise et ils le remplissent en général avec de nombreuses occupations. Ils ont tendance à forcer et ont de la difficulté à se reposer vraiment. Ils sont plus développés dans leur énergie masculine, active, et assez mal à l'aise avec leur côté féminin, réceptif.

"Ceux qui sont" sont principalement orientés vers leur harmonie intérieure. Ils savent comment se détendre et prendre les choses du bon côté. Ils apprécient les plaisirs subtils de la vie et savent ce qu'ils doivent s'apporter et apporter aux autres, ils savent aussi jouer. Ils sont en général souples et heureux de "flâner" sans horaire précis. Ils ont des problèmes pour agir. Ils craignent de s'extérioriser de façon nouvelle ou inhabituelle et ont tendance à beaucoup se retenir. Ils ne s'affirment pas beaucoup et ont quelquefois du mal à exprimer leurs sentiments ou leurs opinions. Ils s'inquiètent de ce que les autres vont penser d'eux. Ils peuvent se sentir mal à l'aise dans le monde et manquer de confiance pour traiter avec les gens, les affaires, l'argent etc... Leur énergie féminine réceptive est plus développée et ils sont embarrassés et peu confiants envers leur côté masculin tourné vers l'extérieur.

Si vous êtes essentiellement celui qui fait, votre intuition vous conduira certainement à en faire moins. Vos sentiments vous diront d'arrêter, de vous reposer et de prendre un jour de congé (une semaine, ou six mois !), de passer plus de temps tout seul, de passer du temps dans la nature, de passer du temps sans plan et sans liste, et de vous entraîner simplement à suivre l'énergie comme vous la sentez. Le plus dur pour celui qui fait est de ne recevoir aucun message, d'avoir à flâner, à attendre, et de ne "rien faire" jusqu'à ce que quelque chose arrive. J'appartiens fondamentalement à cette catégorie, je fais des listes, je m'active avec frénésie. Je compte parmi les plus difficiles les moments où l'univers m'a forcée à ne rien faire. Pourtant, ces moments sont les plus forts, les plus riches d'inspiration, car je peux alors m'arrêter assez longtemps pour sentir mon esprit. J'ai fini par me rendre compte et par admettre que *je n'ai cessé de m'occuper durant toute ma vie que pour éviter d'avoir à sentir cette puissance.* J'avais peur du temps "vide" et de l'espace, parce qu'ils étaient en réalité trop pleins de la force universelle.

Si vous êtes de "ceux qui sont", vous serez sûrement poussé à plus d'action par votre moi intérieur, à plus d'expression, à prendre plus de risques dans le monde. Pour vous, la clé est de suivre vos impulsions, et d'essayer de faire les choses que vous ne feriez normalement pas par impulsion. Vous n'avez pas besoin de savoir pourquoi vous faites quelque chose, ni d'en attendre au départ un résultat particulier. Il est important de vous entraîner à agir spontanément d'après vos sentiments, spécialement en ce qui concerne vos relations avec les gens, l'expression de votre énergie créatrice dans le monde, le fait de gagner de l'argent, ou toute autre chose que vous éviteriez probablement en temps normal. *Ne vous poussez pas au-delà de vos limites.* Il est très important de les respecter, ainsi que votre rythme de croissance. Assurez-vous que la voix ne vient pas de votre tyran intérieur vous disant : "Tu devrais t'exprimer de cette façon". (S'il y a un "devrait", il ne s'agit jamais de la voix de l'univers). Suivez au contraire les sentiments qui vous incitent à vous exprimer et à développer votre confiance en vous soutenant.

## Méditation.

Mettez-vous à l'aise et fermez les yeux. Respirez plusieurs fois profondément et à chaque expiration relâchez votre corps et votre esprit à un niveau de conscience profond et tranquille. Imaginez que vous êtes très équilibré. Vous êtes capable de vous détendre, de jouer et de vous recharger fréquemment, et vous appréciez d'avoir du temps et de l'espace dans votre vie sans rien de spécial à faire. En même temps vous agissez spontanément d'après vos sentiments et vos impulsions, vous vous exprimez d'une manière ferme et directe, et vous prenez le risque d'essayer de nouvelles choses quand vous vous sentez invité à le faire. Vous vivez tout l'éventail de l'être et du faire, aussi pouvez-vous suivre votre guide intérieur dans toutes les directions où il vous mène.

## Exercice.

Si vous appartenez fondamentalement à la catégorie de "ceux qui font", passez un jour entier à en faire consciemment le moins possible. Notez comment vous vous sentez et ce qui arrive.

Si vous êtes plus doué pour "être" que pour "faire", prenez un jour pour vous entraîner à agir sur n'importe quelle impulsion ou inspiration, sans en attendre de résultat particulier. Essayer plusieurs choses nouvelles et inhabituelles, en particulier des choses qui vous entraînent à entrer en contact avec les gens ou à vous exprimer dans le monde de manière différente. Notez comment vous vous sentez avant, pendant et après l'avoir fait.

CHAPITRE XV

# LES RELATIONS

Dans le monde ancien, l'accent dans les relations est mis sur l'extérieur - nous essayons d'atteindre la plénitude et le bonheur grâce à un élément extérieur à nous. Cette attente nous amène inévitablement déception, ressentiment et frustration. Soit ces sentiments montent en nous en permanence, créant un conflit incessant, soit ils sont réprimés et conduisent à l'insensibilisation au niveau émotionnel. Nous continuons cependant à nous accrocher à nos relations à cause de notre insécurité affective, ou à passer de l'une à l'autre en quête de la pièce manquante que nous n'avons pas encore trouvée.

Nous sommes dans cette situation tragique depuis un bon millier d'années ; il semblerait que nous arrivons maintenant à un point critique. Les relations et les familles telles que nous les avons connues ont l'air de se désagréger de plus en plus vite. Beaucoup de gens s'en affolent ; certains essaient de rétablir les traditions et les systèmes de valeur d'autrefois, pour préserver un sentiment d'ordre et de stabilité dans leurs vies.

Il est toutefois vain d'essayer d'aller en arrière, car notre conscience a déjà évolué au-delà du niveau où nous étions prêts aux sacrifices nécessaires pour vivre de cette façon. Dans le passé, la plupart des gens acceptaient de rester accrochés à une relation morte pendant leur vie entière, parce qu'elle leur apportait la stabilité physique et affective.

Nous sommes de plus en plus nombreux à nous rendre compte qu'il est possible d'avoir dans une relation l'intimité profonde, alliée à la joie de vivre et à la passion. Nous sommes disposés à abandonner les formes anciennes pour rechercher cet idéal, mais nous ne savons pas où le trouver. Nous sommes encore beaucoup à chercher en dehors de nous-mêmes persuadés que si nous trouvons l'homme et la femme qu'il nous faut, nous serons pleinement heureux, ou bien pensant que, si seulement nos enfants ou nos parents avaient le bon comportement, ce serait parfait. Nous sommes perturbés et frustrés, nos relations semblent aller vers le chaos et nous n'avons plus la possibilité de nous appuyer sur les vieilles traditions ni rien de nouveau à mettre à la place. Ne pouvant revenir en arrière, il nous faut aller de l'avant vers l'inconnu, pour créer un niveau de relations entièrement neuf.

Mais les relations ne sont pas à l'extérieur, elles sont en nous ; il s'agit de la vérité toute simple que nous devons reconnaître et accepter. Ma vraie relation est ma relation avec moi-même - toutes les autres n'en sont que des miroirs. En apprenant à m'aimer, je reçois automatiquement l'amour et l'appréciation que j'attends des autres. Si je m'engage vis-à-vis de moi-même et de la vérité, j'attirerai des gens qui s'engagent aussi. Mon désir d'être l'intime de mes propres sentiments crée un espace pour l'intimité avec l'autre. Apprécier ma propre compagnie, me permet de passer du bon temps avec tout le monde. Sentir la force vive et la puissance de l'univers circuler en moi crée une vie ardente et pleine que je partage avec tous ceux qui sont en relation avec moi.

## Prendre soin de nous-mêmes.

Nombre d'entre nous n'ayant jamais vraiment appris à bien prendre soin d'eux-mêmes, nos relations reposent sur des tentatives pour trouver quelqu'un qui prenne soin de nous.

Les bébés sont très intuitifs et rien ne leur échappe. Dès notre naissance, nous percevons les souffrances et les besoins affectifs de nos parents et nous prenons très vite l'habitude d'essayer de leur plaire et de satisfaire leurs désirs, pour qu'ils continuent à prendre soin de nous.

Plus tard, nos relations suivent cette ligne. Il existe un accord télépathique inconscient : "Je vais essayer de faire tout ce que tu veux et d'être la personne que tu souhaites à condition que tu sois là pour moi, que tu donnes ce dont j'ai besoin et que tu ne me laisses pas".

Ce système ne fonctionne pas très bien. Les autres sont rarement capables de répondre à nos besoins en permanence et d'une façon satisfaisante, aussi sommes-nous déçus et frustrés. Nous essayons alors, soit de changer les autres pour qu'ils correspondent mieux à nos besoins (ce qui ne réussit jamais), soit nous nous résignons à nous contenter de moins que ce que nous désirons vraiment. En outre, quand nous essayons de donner aux autres ce qu'**eux** veulent, nous faisons invariablement des choses que nous ne désirons pas vraiment et finissons par leur en vouloir, consciemment ou inconsciemment.

A ce stade nous nous rendons compte qu'il ne sert à rien d'essayer de prendre soin de nous en prenant soin des autres. Moi seul peut réellement prendre bien soin de moi, aussi ai-je intérêt à le faire directement et à laisser les autres agir de même pour eux.

Que signifie prendre soin de soi ? Pour moi, c'est me fier à mon intuition et la suivre. C'est prendre le temps d'écouter tous mes sentiments - y compris ceux de l'enfant en moi et qui est quelquefois chagriné ou effrayé - et y répondre avec de l'attention, de l'amour et une action appropriée. C'est donner la priorité à mes besoins intérieurs et croire que si je me comporte ainsi, les besoins de tous les autres seront satisfaits, et que tout ce qui doit se faire se fera.

Si, par exemple, je me sens triste, je peux rester au lit et pleurer, en prenant le temps de bien m'aimer et de me recharger. Ou je peux trouver quelqu'un d'attentif à qui parler, jusqu'à ce que, libéré d'une partie de ce qui me chagrine, je me sente plus léger.

Si j'ai trop travaillé, j'apprends à mettre mon travail de côté, aussi important qu'il soit et à prendre du temps pour jouer, ou juste pour m'offrir un bain chaud et lire un roman.

Si quelqu'un que j'aime me demande quelque chose que je ne veux pas lui donner, j'apprends à dire non et à croire qu'il ou elle s'en trouvera mieux, que si j'avais donné sans en avoir vraiment envie. Aussi quand je dis "oui", c'est vraiment "oui".

Je veux faire ici une remarque très importante, à propos d'un point qui est longtemps resté confus pour moi et que j'ai fini par comprendre. *Prendre soin de soi ne veut pas dire prendre soin de soi "tout seul".* Créer une bonne relation avec soi ne se fait pas dans le vide, sans relations avec les autres. Ou alors nous n'aurions qu'à tous devenir des ermites pendant quelques années, jusqu'à ce que nous arrivions à une relation parfaite avec nous-mêmes, puis réapparaître et avoir soudain des relations parfaites avec les autres.

Bien sûr, il est important que nous soyons capables d'être seul, et les gens prennent souvent du recul par rapport aux relations extérieures, jusqu'à ce qu'ils se sentent vraiment à l'aise avec eux-mêmes. Cependant, tôt ou tard, vous avez besoin de miroirs. Vous avez besoin de construire et de renforcer votre relation à vous-même dans le monde de la forme, par l'interaction avec les autres.

La différence réside dans le point sur lequel est mis l'accent. Dans le monde ancien des relations, l'accent était mis sur *l'autre personne et sur la relation elle-même*. Vous communiquiez dans le but d'essayer d'être compris par l'autre et d'en recevoir davantage ce dont vous aviez besoin. Dans les relations du monde nouveau, l'accent est mis sur la construction de votre relation avec vous-même et avec l'univers. Vous communiquez pour que votre canal reste clair et pour vous donner à vous-même davantage de ce dont vous avez besoin. Les mots se ressemblent peut-être, mais l'énergie est différente, ainsi que le résultat.

Supposons par exemple que je me sente seule ; je veux que

mon ami passe la soirée avec moi, tout en sachant qu'il a d'autres projets. Auparavant, j'aurais probablement eu peur de demander directement ce que je voulais. Je serais sans doute restée chez moi, en m'efforçant d'apprendre à apprécier la solitude. Ensuite, parlant avec lui, j'aurais éprouvé un certain ressentiment, sans vouloir l'avouer, ni à lui, ni à moi-même. Il aurait néanmoins perçu ce ressentiment et en aurait conçu de la culpabilité et du ressentiment à mon égard. Rien de tout cela n'aurait été exprimé jusqu'au moment ultérieur, à l'occasion d'une dispute. Je lui aurais alors probablement dit : "De toutes façons, tu te moques de ce que je ressens ; tu n'as jamais envie d'être avec moi". A ce stade je lui communique télépathiquement mon sentiment sous-jacent qu'il est responsable de mon bonheur.

A présent (heureusement), je serais plus directe dès le départ. Je dirais : "Je sais que tu as d'autres projets, mais je me sens seule juste maintenant et j'ai vraiment envie que tu passes la soirée avec moi". Je prends la responsabilité de demander ce que je veux et, ce faisant, je prends en fait soin de moi, tout en demandant quelque chose. Voici la clé : l'accent est mis en réalité sur moi-même, je ressens ceci et je veux cela. Une telle attitude implique que je sois disposée à me rendre très vulnérable. Mais j'ai découvert que je ne me sens complètement moi-même que grâce à cette détermination à dire ce que je veux. D'une certaine façon, je me sens déjà un peu satisfaite, parce que j'ai bien voulu me soutenir moi-même.

Tout est clair et mon ami est libre de répondre honnêtement. S'il accède à ma requête, c'est parfait ! Sinon, je peux me sentir triste ou blessée. Je lui ferai connaître mes sentiments (je le fais à nouveau pour moi, pour rester claire), puis l'affaire sera classée. Je me servirai de cette soirée pour aller plus profondément en moi et dans ma relation avec l'univers.

J'ai découvert une chose très intéressante. Quand je communique honnêtement et directement et que je dis tout ce que je veux vraiment dire, la réponse de l'autre ne semble plus avoir beaucoup d'importance. L'autre ne sait peut-être pas exactement ce que je veux, mais je me sens si claire et si puissante du fait que je prends soin de moi, que je suis moins accrochée au résultat. Si je reste honnête et vulnérable au niveau de mes sentiments envers mon amant, ma famille et mes amis, je n'aurai ni besoin, ni rancune à enfouir en moi.

Si vous prenez soin de vous de cette façon, vous aurez, plutôt plus souvent que moins, ce que vous voulez. Dans le cas contraire, franchissez le pas suivant : lâchez prise. Rentrez en vous-même et écoutez ce que votre être intérieur vous dit de faire ensuite. Laissez-le vous mettre en contact plus profond avec l'univers.

Par conséquent, pour créer une relation d'amour avec vous même, il est important de reconnaître vos besoins et d'apprendre à demander ce que vous voulez. Nous avons peur de le faire, car nous craignons de paraître dépendants. Pourtant, ce sont nos besoins cachés, non admis, qui, à notre insu, nous font paraître dépendants. Comme ils ne se manifestent pas directement, ils le font indirectement ou télépathiquement. Les gens les ressentent et nous tournent le dos, parce qu'ils savent intuitivement qu'ils ne peuvent pas nous aider si nous ne reconnaissons pas que nous avons besoin d'aide !

Paradoxalement, quand nous reconnaissons et admettons nos propres besoins et quand nous les exprimons directement, nous devenons en fait plus forts. L'homme intérieur soutient alors la femme intérieure. Les gens trouvent facile de nous donner et nous nous sentons de plus en plus entièrement nous-mêmes.

### Suivre l'énergie.

J'ai découvert que si je suis prête à faire confiance à mon énergie et à la suivre, elle m'oriente vers des relations avec les gens dont j'ai le plus à apprendre. Plus forte est l'attirance, plus fort est le miroir. Aussi l'énergie me conduira-t-elle vers la situation pédagogique la plus intense.

Au début, il peut être effrayant de vivre ainsi. Faire confiance à nos propres sentiments nous a toujours terrifiés, en parti-

culier dans le domaine des relations et de la sexualité. Car cette énergie est si intense, si changeante et imprévisible, que
nous craignons de tomber dans le chaos complet. Nous nous
affolons à l'idée d'être blessés ou de blesser quelqu'un. Nous
doutons que l'univers sache ce qu'il fait, ou bien nous doutons
d'être capables de suivre correctement notre guide intérieur. Et
notre méfiance n'est pas sans raison. Dans le domaine des relations, nous avons tant de vieux schémas et habitudes fixées,
qu'il nous est quelquefois difficile de bien entendre notre voix
intérieure.

Je ne crois pas qu'il existe un moyen facile de venir à bout
de nos réticences à croire en notre énergie. Ou nous évitons le
problème, ou nous nous lançons en acceptant de suivre notre
énergie le mieux possible, en tirant la leçon de nos "erreurs"
et, au cours du processus, nous nous guérissons de nos peurs
et nous construisons un canal plus clair.

Nous avons pour la plupart évité de faire face à nos peurs
en élaborant pour toutes nos relations des structures de règle-
ments astreignants. Chaque relation entre dans une certaine
catégorie et à chaque catégorie est attachée une liste de règles
et de comportements appropriés. Celui-ci est un ami, je me
comporte de cette façon ; celui-ci est mon mari, il est donc
supposé faire telle chose ; celui-ci est de ma famille, nous agissons donc de la façon suivante l'un et l'autre ; etc... Il reste
alors très peu d'espace pour découvrir la vérité de chaque relation.

Certains se rebellent contre ces systèmes de règles et créent
volontairement des relations qui vont à l'encontre des normes
établies - relations multiples, homosexuelles et bisexuelles, etc...
- Si elles sont motivées par la rebellion, ces relations sont en
grande partie des réactions *contre* les règles et elles ne pro-
uvent pas nécessairement un accord véritable avec l'énergie.

De même que chaque être est une entité unique, différente
de toutes les autres, chaque lien entre deux êtres ou davantage
est aussi unique. Aucune relation ne ressemble jamais exactement à une autre. De plus, la nature de l'univers est le chan-

gement constant. Les gens changent tout le temps, et les relations aussi.

Donc, en essayant d'étiqueter et de contrôler nos relations, nous les tuons. Nous dépensons alors beaucoup de temps et d'énergie à essayer en vain de leur redonner vie.

Nous devons accepter de *laisser nos relations se révéler à nous d'elles-mêmes.* Si nous nous accordons à nous-mêmes, si nous croyons en nous, et si nous nous exprimons pleinement et honnêtement face à l'autre, la relation connaîtra un redoublement unique et fascinant. Chaque relation est une aventure étonnante ; vous ne savez jamais exactement où elle vous mènera. Elle change de coloration, de parfum et de forme d'instant en instant, de jour en jour, année après année. Parfois elle vous rapproche l'un de l'autre. Parfois elle vous éloigne l'un de l'autre.

Vous pouvez en tout cas être sûr d'une chose. Les relations vécues de cette façon vous conduiront toujours plus profondément en vous-même, avec une confiance plus grande en l'univers. Ce phénomène se reflètera à son tour par plus d'intimité et de communication avec les autres.

### Engagement et intimité.

Quand nous parlons de faire confiance à l'énergie et de la suivre, les gens nous demandent souvent où se place l'engagement dans cette affaire.

Comme nous avons toujours mis l'accent sur l'extérieur, nous sommes tentés, pour la plupart, d'essayer de nous engager dans une relation extérieure. En réalité nous nous engageons par rapport à un certain ensemble de règles : "Je suis d'accord pour me comporter de telle ou telle façon, afin que nous nous sentions en sécurité dans notre relation". En général, ces règles ne sont pas clairement exprimées, elles sont sous-entendues. Les gens disent qu'ils sont engagés dans une relation, mais ils clarifient rarement pour eux-mêmes ou avec l'autre ce qu'ils se sont engagés à faire ou à ne pas faire.

En général, il est sous-entendu qu'ils sont d'accord pour ne pas avoir de sexualité avec quelqu'un d'autre. Même ce point est assez vague, car personne ne définit ce que signifie cette sexualité. Il s'agit souvent d'un accord implicite pour ne pas être attiré par quelqu'un d'autre. Mais comment pouvez-vous passer un accord pour ne pas ressentir quelque chose ? Les sentiments ne dépendent pas de notre contrôle conscient.

L'engagement envers une forme extérieure pose un réel problème : il ne laisse pas de place aux inévitables changements, et à l'évolution des gens et des relations. Si vous promettez de sentir ou de vous comporter selon un certain ensemble de règles, il vous faudra finalement choisir entre être fidèle à votre vérité et être fidèle à ces règles. Quand vous cessez d'être honnête et vrai, il ne reste pas grand-chose de vous dans la relation. Vous vous retrouvez avec une coquille vide : un bel engagement, mais des gens dépourvus de réalité à l'intérieur !

Comme ce type d'engagement a tendance à empêcher la *forme* de la relation de changer, le plus souvent, il ne dure tout simplement pas. C'est un fait, les relations *changent* de forme et aucun engagement ne peut garantir contre ce changement. Aucune forme extérieure ne peut nous donner la sécurité que nous recherchons. Vous pouvez être marié depuis cinquante ans et la cinquante et unième année, votre épouse peut décider de vous quitter !

En prendre simplement conscience peut nous éviter bien des souffrances. Les gens qui divorcent ont presque inévitablement une impression d'échec, car ils pensent tous que les mariages sont pour toujours. Dans la plupart des cas, toutefois, le mariage a en fait été un succès total, il a aidé chacun des conjoints à grandir jusqu'au point où ils n'avaient plus besoin de cette vieille forme.

Nous souffrons dans bien des cas parce que nous ne savons pas comment permettre à la forme de changer en *continuant à respecter l'amour et le lien qui existent à un niveau plus profond.* Quand vous êtes profondément engagé avec quelqu'un, ce lien est éternel. Toutefois, l'intensité de l'energie dans la relation augmente ou diminue en fonction de ce qu'elle a à vous apprendre à un moment donné. Quand vous avez beaucoup appris en fréquentant quelqu'un, l'énergie entre vous peut diminuer jusqu'au point où vous n'aurez plus besoin d'autant, ou plus du tout d'interaction au niveau de la personnalité. Mais le lien entre les deux esprits reste fort. Dans certains cas, l'énergie est restimulée plus tard, à un autre niveau.

Ne le comprenant pas, nous nous sentons coupables ; déçus et blessés quand nos relations changent de forme. Comme nous ne savons pas partager adéquatement nos sentiments avec l'autre, nous réagissons souvent à ces sentiments en cassant notre relation avec l'autre. Cela nous cause une réelle souffrance, car nous nous coupons en fait de nos propres sentiments profonds. J'ai découvert que les changements dans les relations peuvent se passer relativement sans douleur et même avec beauté, quand nous pouvons communiquer honnêtement et nous faire confiance durant le processus.

La plupart des gens croient les sacrifices et les concessions nécessaires pour préserver une relation. Cette tendance au sacrifice et à la compromission repose sur une mauvaise compréhension de la nature de l'univers. Nous craignons qu'il n'y ait pas assez d'amour pour nous et que la vérité fasse mal. En fait, l'univers est toujours plein d'amour, et la vérité, quand nous réussissons à la voir, est toujours positive. Nos limitations et nos craintes lui donnent une apparence négative.

Quand je décide d'être honnête et de demander ce que je désire, de continuer à partager ouvertement mes sentiments, je découvre *toujours* que la vérité sous-jacente de toute situation est la même pour toutes les personnes concernées. Il semble au début que je veuille une chose et l'autre, autre chose. Si nous continuons tous deux à dire la vérité comme nous la ressentons, tôt ou tard la situation se dénoue de telle manière que nous pouvons obtenir tous les deux ce que nous désirons.

Par exemple, un couple de mes clients traversait un grave conflit à propos de leur travail. Ils étaient associés dans une affaire qui marchait très bien. Elle était lasse de cette activité et voulait faire autre chose. Lui aimait son travail, et voulait continuer, mais pas sans elle. Ils se disputaient constamment pour savoir s'ils devaient vendre l'affaire (son désir à elle), ou continuer à l'étendre (son désir à lui).

Dès qu'ils commencèrent à communiquer à un niveau plus profond, ils dévoilèrent leur craintes. Elle aspirait à exprimer sa créativité dans de nouveaux domaines, mais avait très peur de ne pas réussir à se lancer seule, sans le soutien de son mari. Elle craignait aussi de ne pas gagner autant d'argent et de se voir reprocher de moins contribuer au revenu familial. Lui craignait de ne pas réussir à faire tourner l'affaire sans elle ; il dépendait beaucoup de sa créativité et ne se fiait pas à sa propre capacité intuitive. Il redoutait aussi de s'ennuyer à son travail sans l'humour et la chaleur de sa femme.

Ayant pleinement exprimé leurs sentiments, ils furent capables de voir qu'ils étaient tous les deux sur le point de faire le saut pour passer à un nouveau niveau d'indépendance et de créativité. Ils étaient prêts à abandonner un peu de leur dépendance mutuelle et à développer plus de confiance en eux. Elle se retira peu à peu de l'affaire et commença une carrière nouvelle et très différente, qu'elle trouva finalement passionnante et gratifiante. Il continua à gérer l'affaire et la développa dans des directions nouvelles et intéressantes. Leur relation fut renforcée par leur indépendance accrue et une plus grande confiance en eux.

Pour ma part, je considère que mon engagement est envers moi-même, je m'engage à honorer, obéir et chérir mon propre être. Dans une relation, je m'engage à être vraie et honnête. A tous ceux que j'aime, je promets de faire de mon mieux pour dire la vérité, pour partager mes sentiments, pour me prendre en charge, pour honorer le lien que je ressens avec ces personnes et pour entretenir ce lien, même si la forme change.

L'engagement véritable ne donne aucune garantie sur la forme d'une relation ; l'engagement véritable reconnaît le fait que la forme change constamment et que nous pouvons faire confiance à ce processus de changement. Ainsi s'ouvre la porte de la vraie intimité qui se crée lorsqu'un partage profond et honnête existe entre deux personnes. Si elles restent ensemble sur cette base, c'est qu'elles veulent vraiment être ensemble. Elles continuent à aimer et apprendre intensément l'une et l'autre tout en changeant et en évoluant.

## Relations monogames et non monogames.

Quand les gens découvrent ma façon de voir les relations, ils les trouvent parfois assez radicales, et elles le sont peut-être. Cependant, je m'aperçois souvent en approfondissant avec eux qu'ils ont mal compris certains de mes propos. Par exemple, ils pensent quelquefois que je suis "contre la monogamie", que je me fais l'avocat des relations non monogames. Ce n'est absolument pas le cas. Je suis l'avocat de la vérité, honnêteté par rapport à vos sentiments et vos actions, fidélité à vous-même.

Je connais des gens qui sont sincèrement engagés dans une relation monogame. Ils ont un lien puissant, sexuel et romantique à la base, et n'en désirent pas d'autre. Quelques personnes semblent fortement non monogames et mènent aisément plus d'une relation sexuelle/romantique. La plupart des gens éprouvent plus ou moins des sentiments mitigés et des contradictions à ce sujet. Ils veulent profondeur, intimité et sécurité avec une personne ; ils se sentent coupables d'être attirés par d'autres ; et ils se sentent menacés si leur partenaire est attiré par quelqu'un d'autre. En même temps, ils se sentent quelque peu limités et souhaiteraient parfois être libres d'explorer d'autres liaisons. Ceux qui sont engagés dans des relations multiples peuvent aussi avoir une grande soif de trouver une personne avec laquelle ils auraient une relation exclusive.

Ces sentiments constituent une partie importante de notre conditionnement humain, ils ont besoin d'être sentis et reconnus, au moins par nous-même, et de préférence aussi par ceux que nous aimons. Les conflits se dissolvent automatiquement dès que nous apprenons à simplement nous accepter et nous faire confiance. La vraie question n'est pas celle de la forme extérieure de nos relations, qui se résoud facilement, sans ef-

fort, dès que nous apprenons à croire et suivre notre vérité intérieure. Chacun créera les relations qui correspondent exactement à lui-même et aux autres personnes concernées.

## Amour romantique.

Quand nous rencontrons quelqu'un qui est pour nous un miroir particulièrement puissant, nous ressentons une attirance intense (ou bien nous pouvons ressentir au départ une répulsion
ou un dégoût ; dans les deux cas, le sentiment est fort). Si cette personne est du sexe opposé et présente certaines caractéristiques, nous pouvons éprouver le sentiment comme attirance
sexuelle. Quand l'énergie est particulièrement forte, nous faisons l'expérience de ce que nous appelons "tomber amoureux".

Tomber amoureux est en fait une expérience puissante qui
nous fait sentir l'univers circuler en nous. L'autre est devenu
pour nous un canal, un catalyseur qui nous incite à nous ouvrir à l'amour, à la beauté et à la passion en nous. Votre propre canal s'ouvre tout grand, l'énergie universelle s'y déverse et
vous connaissez un moment bienheureux "d'illumination", très
semblable aux expériences que font certains après de longues
méditations.

C'est l'expérience la plus émouvante et la plus passionnée
du monde et bien sûr, nous nous y accrochons. Malheureusement, nous ne nous rendons pas compte que nous faisons en
vérité l'expérience de l'univers en nous. Nous reconnaissons
que l'autre a suscité cette expérience et nous pensons que c'est
lui, ou elle, qui est tellement merveilleux ! Certes, au moment
où nous tombons amoureux, nous percevons clairement la
beauté de l'esprit de l'autre, mais nous ne reconnaissons pas
qu'elle est le miroir de la nôtre. Nous savons seulement que
nous éprouvons ce sentiment merveilleux quand nous sommes
avec l'autre et nous commençons aussitôt à lui abandonner notre pouvoir et à mettre notre source de bonheur en dehors de
nous-mêmes.

L'autre devient immédiatement un objet - quelque chose que

nous voulons posséder et garder. La relation devient dépendance : comme avec la drogue, nous voulons de plus en plus de ce qui nous met dans des états supérieurs. Nous devenons dépendants de la *forme* de la personne, sans nous rendre compte que c'est *l'énergie* que nous voulons. Nous nous concentrons sur la personnalité et sur le corps, et nous essayons de nous y agripper, de la garder. Dès cet instant, l'énergie est bloquée. En fait, en nous saisissant du canal de cette façon, nous l'étranglons, et nous nous coupons de l'énergie même que nous cherchons.

La vraie passion nous rassemble, mais inévitablement le besoin prend le dessus peu de temps après. La relation commence à mourir presque aussitôt qu'elle a fleuri. Alors nous nous affolons pour de bon et nous nous y accrochons encore plus. L'expérience initiale de tomber amoureux est si puissante que nous passons quelquefois des années à essayer de la recréer, mais plus nous essayons, et plus elle nous échappe. Seulement quand nous abandonnons et que nous laissons aller, l'énergie recommence à circuler et nous pouvons connaître ce même sentiment.

Telle est la nature tragique de l'amour romantique dans le monde ancien. Il nous a fallu des milliers d'années pour le résoudre. Nos chansons favorites, nos histoires et nos pièces de théâtre reflètent et renforcent la nature extérieurement dépendante de nos relations, et la souffrance et la frustration qui en résultent.

Dans le monde nouveau, nous découvrons quelque chose de simple et de beau, qui peut nous guérir de notre souffrance : le vrai roman, c'est de vivre dans la lumière.

### Relation amoureuse.

Je découvre qu'être en vie est une histoire d'amour avec l'univers. J'y pense aussi comme une histoire d'amour entre mon homme et ma femme intérieur, et entre ma forme et mon esprit.

Plus je construis et ouvre mon canal, plus l'énergie y circule. Je sens une plus grande intensité de sentiment et de passion. Etre amoureux est un état qui ne dépend pas d'une personne. Toutefois, certaines personnes m'attirent et semblent rendre plus intense ou plus profonde mon expérience de la force de vie en moi. Je sais que ces gens sont pour moi des miroirs, et aussi qu'ils sont les canaux d'une énergie spéciale dans ma vie.

Je vais vers eux parce que je trouve en eux l'intensité que je cherche. Je sens que l'univers circule de moi à eux et d'eux à moi. Cela peut arriver sous n'importe quelle forme d'échange : parler, toucher, faire l'amour. L'énergie me fait savoir ce qui est nécessaire et approprié. C'est un échange qui nous satisfait et nous comble mutuellement parce que l'univers donne à chacun de nous ce dont il a besoin. Il peut s'agir d'une brève expérience d'une fois, d'un coup d'œil ou d'une courte conversation avec un étranger. Ou bien un contact durable, une relation profonde qui s'étend sur plusieurs années. J'y vois de plus en plus l'univers venant constamment à moi, par de nombreux canaux différents.

Je viens de décrire le scénario idéal. Je ne le vis certainement pas pleinement à chaque instant. Je suis souvent prise au piège de mes craintes et de mes dépendances relationnelles. Cependant, j'en *fais* de plus en plus souvent l'expérience, et quand cela arrive, je me sens merveilleusement bien !

**Exercice.**

1. Imaginez que vous avez un rendez-vous amoureux. Faites tout comme si vous sortiez avec le partenaire le plus aimant et le plus excitant que vous puissiez imaginer. Prenez un bain chaud, mettez vos plus beaux habits, achetez-vous des fleurs, allez dans un bon restaurant, promenez-vous au clair de lune, faites tout ce qui vous vient à l'idée. Passez la soirée à vous dire que vous êtes merveilleux, que vous vous aimez et tout ce que vous voudriez entendre d'un amoureux. Imaginez que l'univers est votre amoureux et qu'il vous donne tout ce que vous voulez.

2. La prochaine fois que vous éprouverez une attirance romantique ou sexuelle avec quelqu'un, rappelez-vous que c'est l'univers que vous ressentez. Quoi que vous fassiez, rappelez-vous simplement que tout fait partie de votre vraie histoire d'amour avec la vie.

CHAPITRE XVI

# NOS ENFANTS

Vivre comme un canal de l'univers concerne notre rôle de parents comme tous les autres domaines de notre vie. Quoique n'ayant pas encore d'enfant moi-même, je suis très proche depuis plusieurs années de nombreux amis qui utilisent ces principes dans leur relation avec leurs enfants. Il n'est certes pas facile de transformer nos vieux concepts et schémas sur la façon d'élever les enfants, mais les résultats sont merveilleux : une lumière brillante irradie de ces enfants, leurs parents sont satisfaits et comblés, et ils connaissent une intimité et un partage profonds.

Nos idées anciennes du rôle de parent impliquent d'ordinaire que l'on se sente entièrement responsable du bien-être de ses enfants et que l'on essaie de suivre une sorte de comportement standard de "parent modèle". En apprenant à vous fier à vous-même et à être spontanément vous-même, vous découvrirez que vous violez bon nombre des anciennes règles du comportement de parent modèle. Pourtant, l'énergie et la force vitale qui circulent en vous, votre sens croissant de la satisfaction dans votre vie, et votre confiance en vous et en l'univers, feront bien plus pour aider vos enfants que toute autre chose.

Dans un sens, vous n'avez pas du tout à "élever" vos enfants ! L'univers est leur vrai parent ; vous n'êtes que le canal. Plus vous êtes capable de suivre votre énergie et de faire ce qui est le mieux pour vous, plus l'univers circulera de vous à ceux qui vous entourent. Si vous réussissez, vos enfants réussiront aussi.

Quand les enfants naissent, ils sont des êtres puissants et intuitifs. Nouveau-nés dans le monde physique, ils passent leurs premières années à apprendre à vivre dans un corps. Leurs *formes* sont plus jeunes et ont moins d'expérience que les nôtres, mais leurs *esprits* sont tout aussi développés. Je crois en fait que nous avons souvent des enfants qui sont spirituellement plus développés que nous, pour que nous puissions apprendre d'eux.

Nos enfants viennent au monde comme des êtres clairs. Ils savent qui ils sont et ce qu'ils ont à faire ici. Je crois qu'à un certain niveau de conscience, les parents et l'enfant ont passé un accord. Les parents ont accepté de soutenir et d'aider l'enfant dans le développement de sa forme (corps, esprit et personnalité), et pour apprendre à fonctionner dans le monde. L'enfant est d'accord pour aider les parents à être plus en contact avec leur moi intuitif. Comme les enfants n'ont pas encore perdu leur lien conscient avec leur esprit, ils nous fournissent un soutien considérable, pour nous reconnecter avec notre propre moi supérieur.

Nos enfants ont essentiellement besoin de nous pour deux choses :

1. Ils ont besoin d'être reconnus pour ce qu'ils sont en réalité. Si nous voyons et savons qu'ils sont des êtres spirituels puissants et sophistiqués, et si nous nous relions à eux dans cette optique depuis le début, ils n'auront pas besoin de cacher leur pouvoir et de perdre le contact avec leur esprit comme l'ont fait la plupart d'entre-nous. Leur être recevra le soutien et l'acceptation dont il a besoin pour rester clair et fort.

2. Ils ont besoin de nous pour leur fournir un exemple sur la façon effective de vivre dans le monde de la forme. Ils nous regardent vivre et nous imitent. Comme ils sont très intuitifs et pragmatiques, ils copient ce que nous *faisons* vraiment, et non pas ce que nous *disons*.

En échange de la responsabilité que nous prenons de ces deux choses, nous recevons de nos enfants des quantités infinies d'énergie vibrante et vivante. Sauf s'ils sont bloqués très tôt par manque de soutien, les enfants sont des canaux très clairs et puissants. Comme ils n'ont pas encore beaucoup développé leur censure rationnelle, il sont presque totalement intuitifs, complètement spontanés et absolument honnêtes. En les regardant, nous pouvons apprendre énormément sur la façon de suivre l'énergie et de vivre la créativité.

Beaucoup de parents n'ont pas été capables de remplir leurs responsabilités avec tout le succès qu'ils auraient souhaité. Les parents sont en général hésitants par rapport à leur rôle et à leurs responsabilités. Ils n'ont bénéficié d'aucun modèle clair, ni d'aucune ligne de conduite. Jusqu'à il y a très peu de temps encore dans l'histoire humaine, personne n'avait beaucoup étudié cette question et nous avons encore peu de références pour nous éduquer au rôle de parent. La plupart des parents tâtonnent, d'où de nombreuses erreurs.

J'ai rencontré beaucoup de parents qui, maintenant qu'ils sont devenus plus conscients se sentent terriblement coupables et tristes en se souvenant de la façon dont il ont élevé leurs enfants. Il est utile de se rappeler que les enfants sont de puissants êtres spirituels responsables de leur propre vie, ils vous choisissent comme parents pour pouvoir apprendre ce qui leur est nécessaire pour s'accomplir dans cette vie-ci.

Il est très bon aussi de savoir qu'à mesure que vous grandissez et évoluez, ils sont positivement influencés et soutenus par votre transformation. Ils changeront en même temps que vous, même s'ils sont devenus adultes et vivent loin de vous. Toutes les relations sont télépathiques, aussi quelle que soit la distance physique, ils continuent à vous refléter.

Comme nous ne nous sommes pas mis suffisamment en accord avec notre propre être, il nous est devenu difficile de reconnaître et de nous fier à l'esprit de nos enfants. Comme ils ne sont pas développés physiquement, ni rationnellement sophistiqués, nous les croyons moins conscients et moins responsables qu'ils ne le sont en réalité.

J'ai observé chez beaucoup de gens une manière de sous-entendre que les enfants sont des êtres impuissants et non fiables, que les parents ont la responsabilité de contrôler et de modeler pour les rendre responsables. Les enfants, bien sûr, le sentent et le reflètent dans leur comportement. Si vous reconnaissez qu'ils sont des êtres puissants, spirituellement mûrs, responsables, ils réagiront en conséquence.

## Les enfants sont des miroirs.

Parce que nos enfants ne sont relativement pas abîmés, ils sont nos clairs miroirs. Ils sont des êtres intuitifs, réglés sur leurs sentiments, et répondent honnêtement à l'énergie qu'ils ressentent. Ils n'ont pas encore appris à dissimuler. Quand les adultes ne parlent pas, ou n'agissent pas selon leurs sentiments réels, les enfants saisissent immédiatement la dissonance et réagissent. Observer leurs réactions peut nous aider à devenir plus conscients de nos sentiments réprimés.

Si, par exemple, vous essayez d'avoir l'air calme et tranquille, alors qu'intérieurement vous vous sentez bouleversé et irrité, vos enfants reflèteront votre état en devenant agités et agaçants. Vous essayez de vous dominer, mais ils perçoivent l'énergie chaotique qui est en vous et la reflètent dans leur comportement. Assez bizarrement, si vous exprimez directement ce que vous ressentez vraiment sans chercher à le dissimuler ("Je suis vraiment bouleversé et frustré parce que j'ai eu une mauvaise journée. Je suis fatigué du monde, de moi et de vous! Je veux que vous vous teniez tranquille pour avoir un peu la paix et essayer d'y voir clair. Voudriez-vous tous me laisser quelques minutes?"), en général, ils se calment. Ils se sentent à l'aise par la vérité, la concordance entre vos sentiments et vos paroles.

Beaucoup de parents pensent qu'il leur faut protéger leurs enfants de leur confusion (celle des parents), ou de leurs soit-disant sentiments négatifs. Ils pensent qu'être de bons parents signifie tenir un certain rôle, être toujours patient, aimant, sage et fort. En fait, les enfants ont besoin d'honnêteté, ils ont besoin de voir un modèle d'être humain qui passe par tous les différents sentiments et humeurs que connaît l'être humain, et qui les vit honnêtement. Cela leur permet et les aide à s'aimer eux-mêmes, en étant vrais et sincères.

Partager vos sentiments avec vos enfants ne veut pas dire vous décharger de votre colère sur eux, ni leur faire porter le poids de vos ennuis. Cela ne signifie pas non plus que vous pouvez attendre d'eux qu'ils soient vos thérapeutes et qu'ils vous aident à résoudre vos problèmes. Plus vous vous entraînerez à exprimer vos sentiments honnêtement au fur et à mesure, moins vous serez tenté de faire ces choses-là. Mais comme vous êtes humain, vous déverserez probablement votre colère et votre frustration sur eux de temps en temps. Dès que vous vous en rendez compte, dites-le leur et dites-leur que vous êtes désolé, et c'est fini. Cela fait partie de l'apprentissage des relations intimes.

Les enfants nous servent aussi de miroirs en nous imitant, dès leur plus jeune âge. Nous sommes leurs modèles de comportement, aussi prennent-ils exemple sur nous. Nous pouvons donc les observer pour voir ce que nous faisons !

Quand votre fils ou votre fille fait quelque chose que vous n'appréciez pas, dites-lui ce que vous en pensez, allez droit au problème. Demandez-vous toutefois à vous-même en quoi ce comportement vous reflète, ou comment vous le soutiendriez s'il était le vôtre.

Si, par exemple, vos enfants font des secrets et vous cachent des choses, demandez-vous si vous avez été vraiment ouvert et honnête sur vos sentiments envers eux. Y a-t-il quelque chose que vous cachez à quelqu'un ou à vous-même ? Est-ce que d'une certaine façon vous n'avez pas confiance en vous même, et de ce fait pas confiance en eux ? Si vos enfants deviennent rebelles, jetez un coup d'œil sur la relation entre votre tyran et votre rebelle intérieurs. Si votre tyran intérieur contrôle beaucoup votre vie, vos enfants exprimeront peut-être le côté rebelle que vous réprimez. Ou bien si vous avez beaucoup exprimé le rebelle dans votre vie, ils se peut qu'ils vous imitent.

Regardez bien comment ces problèmes reflètent votre processus intérieur. Si vous tirez la leçon de vos expériences pour grandir, vos enfants le feront aussi. Extérieurement, la plupart de ces processus peuvent se régler en partageant profondément et sincèrement vos sentiments, en apprenant à vous soutenir vous-même et en encourageant vos enfants à le faire aussi. Il se peut que vous ayiez envie d'être aidé par un conseiller professionnel ou par un thérapeute familial pour changer les anciennes habitudes de toute la famille.

J'ai découvert que pour beaucoup de gens, être parents constitue une bonne excuse pour ne pas apprendre ni se développer eux-mêmes. Très souvent, les parents passent le plus clair de leur temps concentrés sur leurs enfants, essayant de s'assurer qu'ils apprennent et grandissent convenablement. En prenant la responsabilité de la vie de leurs enfants, ils abandonnent la responsabilité de leur propre vie, avec pour conséquence malheureuse de faire sentir inconsciemment à l'enfant qu'il doit prendre la responsabilité de ses parents (parce que ses parents se sacrifient pour lui). Les enfants imitent parfois le comportement de leurs parents en se rendant responsables d'autres gens, ou bien ils peuvent se révolter contre l'incitation à se conformer aux attentes de leurs parents en agissant à l'inverse de ce qu'ils veulent.

Il faut que les parents déplacent leur responsabilité de leurs enfants vers eux-mêmes, là où elle doit être. Rappelez-vous que les enfants apprennent par l'exemple. Ils auront tendance à faire ce que vous *faites,* non pas ce que vous leur dites de faire. Plus vous apprenez à prendre soin de vous et à vivre une vie remplie et heureuse, plus il en ira de même pour eux.

Cela ne signifie pas qu'il vous faut abandonner ou ignorer vos enfants. Cela ne signifie pas que vous les laissiez faire tout ce qu'ils veulent. Vous avez avec eux une relation profonde, et comme toute relation, elle demande beaucoup d'attention et de communication. Il est important pour vous tous d'exprimer vos sentiments, de faire connaître vos besoins et d'établir clairement vos frontières. De plus, vous avez accepté de prendre certaines responsabilités physiques et financières à leur égard. Vous avez le droit d'exiger leur co-responsabilité et leur coopération dans ce processus.

Votre attitude est décisive. Si vous percevez vraiment que vos enfants sont des entités puissantes et responsables, et si vous les traitez en égaux sur le plan de l'esprit (tout en sachant que leur forme a moins d'expérience que la vôtre), ils vous reflèteront cette attitude.

Considérez que, depuis leur naissance, ils savent qui ils sont et ce qu'ils veulent, et qu'ils ont des sentiments et des opinions valables sur tout. Avant même qu'ils ne puissent parler, demandez-leur ce qu'il ressentent à propos de ce qui les concerne, et faites confiance à votre intuition et aux signaux qu'ils donnent pour vous faire connaître leurs réponses. Demandez-leur, par exemple, s'ils ont envie de sortir avec vous ou s'ils préfèrent rester à la maison avec une baby-sitter. Fiez-vous à vos sentiments sur leur choix et agissez en fonction de lui. Puis faites attention aux signaux qu'ils vous donnent. Si vous les emmenez avec vous et qu'ils pleurent tout le temps, essayez la fois suivante de les laisser avec la baby-sitter.

Continuez à mesure qu'ils grandissent à les inclure dans les décisions et les responsabilités familiales. Permettez-leur autant que possible de prendre leurs propres décisions concernant leur vie personnelle. Cela implique qu'ils auront parfois à affronter les conséquences de certaines de leurs décisions. Offrez-leur votre amour, votre soutien et vos conseils, mais faites-leur comprendre qu'ils ont fondamentalement la responsabilité de leur propre vie. Assurez-vous que vous posez clairement vos limites, ce qui est acceptable et ce qui ne l'est pas. Prendre leurs propres décisions n'inclut pas le droit de profiter de vous. Essayez surtout de leur communiquer vos sentiments sincères et demandez-leur de vous faire savoir ce qu'ils ressentent. Presque tous les problèmes familiaux proviennent d'un manque de communication. Vos enfants ne sauront certainement pas comment communiquer clairement, si vous ne le savez pas vous-même.

Il semble terriblement difficile aux parents de cesser de vivre la vie de leurs enfants à leur place et de commencer à vivre la leur. Pour y parvenir, les parents doivent bien vouloir admettre combien ils sont en réalité dépendants de leurs enfants et combien ils ont peur de les voir s'en aller. Ces sentiments sont en général masqués par une projection inversée, les parents se racontent que leurs enfants dépendent d'eux et n'accepteraient pas qu'ils commencent à se consacrer à la satisfaction de leurs *propres* besoins.

J'ai découvert qu'il s'agit d'un faux problème. Le *vrai* réside dans le sentiment de dépendance des parents envers leurs enfants, dont ils ne sont en général même pas conscients ! Les enfants sont si vivants et stimulants, que les parents craignent secrètement que leurs vies ne deviennent tristes et ennuyeuses sans eux. Ou peut-être ont-ils simplement peur de se regarder en face. Dès qu'ils reconnaissent et admettent ces sentiments, ils commencent à avoir affaire au vide en eux-mêmes et dans leurs vies. Ils commencent à se pencher sur ce qu'ils veulent et chercher le moyen de l'obtenir. Ils commencent à avoir confiance en leurs sentiments profonds et à agir en fonction d'eux.

Quand ils en arrivent là, les enfants commencent vraiment à s'épanouir. Ils sont enfin délivrés de la tâche inconsciente d'essayer de prendre soin de leurs parents ; ils sont libres de se faire pour eux-mêmes une vie digne d'être vécue ! Les enfants commencent à faire ce dont ils ont vraiment besoin pour eux-mêmes. Ils peuvent devenir les canaux qu'ils sont vraiment.

Un couple de mes amis a une fille de quatorze ans. Depuis sa naissance, ses parents la voyaient comme un être beau et puissant, et sentaient qu'ils étaient en communication avec cet être. J'ai assisté à sa naissance chez eux à la maison, un événement merveilleux. Quelques minutes après sa naissance, je la tenais dans mes bras et elle me regarda droit dans les yeux (j'avais entendu dire auparavant que les bébés ne peuvent pas fixer leur regard si jeunes). Il me parut tout à fait évident qu'elle était bien consciente de ce qui se passait.

Elle a été élevée dans le sens que j'ai décrit. On lui a toujours accordé le respect qu'elle méritait et traitée en entité hautement consciente. Résultat : c'est une enfant vraiment admirable. Partout où elle va, les gens remarquent sa forte présence. Il est facile de voir qu'elle est un canal ouvert de l'univers.

**Méditation.**

Mettez-vous à l'aise, détendez-vous et fermez les yeux. Respirez plusieurs fois profondément et portez votre conscience dans un endroit profond et tranquille en vous.

Représentez-vous ou imaginez votre enfant en face de vous. Regardez-le dans les yeux, et sentez l'être puissant en lui. Prenez un peu de temps juste pour vivre cette expérience et recevoir tous les sentiments, idées ou impressions sur ce que votre enfant est vraiment. Communiquez-lui avec vos propres mots votre respect et votre appréciation. Imaginez que votre enfant vous communique son respect et son appréciation.

Si vous avez plus d'un enfant, faites-le pour chacun d'entre eux. Cette méditation est efficace pour ouvrir l'amour et la communication entre vous et vos enfants, qu'ils soient petits ou adultes.

**Exercice.**

Entraînez-vous à dire la vérité à vos enfants et à exprimer honnêtement vos sentiments, même si vous vous sentez vulnérable et mal à l'aise parce que vous ne contrôlez pas la situation. Demandez-leur comment ils ressentent les choses et essayez de vraiment écouter ce qu'ils ont à dire. Si vous êtes tenté de leur donner des conseils, demandez-leur d'abord s'ils veulent les entendre. S'ils ne veulent pas, exprimez plutôt vos sentiments.

# CHAPITRE XVII

# SEXUALITÉ ET PASSION

L'énergie sexuelle représente la passion et la joie de vivre. C'est la force de la vie, la force créatrice de l'univers. La clé d'une vie ardente réside dans le fait d'avoir confiance et de suivre l'énergie en nous. Plus nous croyons en nous-mêmes et plus nous suivons spontanément notre énergie, plus la force de vie peut circuler en nous librement et pleinement. Quand nous n'avons pas peur d'éprouver et d'exprimer tous nos sentiments, nous devenons vraiment vivants. Nous ressentons tout plus profondément et tout ce que nous faisons a un goût d'extase, d'orgasme.

Quand nous croyons et suivons l'énergie de l'univers en nous, elle nous oriente vers l'action appropriée dans chaque situation. Elle peut nous amener à parler ou à être silencieux, à bouger et danser ou à rester tranquille, à chanter, crier, pleurer ou méditer. Dans nos interactions avec les autres, elle peut nous amener à converser, à étreindre, à s'asseoir tranquillement ensemble et parfois à faire l'amour. Le fantastique sentiment de vivre est présent dans toutes ces expériences et l'épanouissement vient à force de suivre et d'exprimer cette énergie naturellement, comme nous la sentons. Ainsi, regarder une fleur ou échanger un regard avec quelqu'un peut se révéler tout aussi agréable et satisfaisant qu'une relation sexuelle physique, si l'énergie se trouvait là à cet instant. Nos vies sont emplies de l'énergie sexuelle de l'univers, que certaines expériences nous permettent de sentir plus intensément que d'autres.

Malheureusement, la plupart d'entre nous sont devenus maîtres dans l'art de bloquer leur énergie sexuelle. Nous avons peur de nous-mêmes et d'être dépassés par notre énergie sexuelle. Nous savons d'instinct qu'elle a le pouvoir de créer et de transformer et qu'avec elle rien n'est sûr, ni stable, ni tranquille. Nos egos en ont peur, aussi, au lieu de nous fier à nos instincts naturels, nous apprenons à les réprimer. Nos familles, nos pairs, notre société et nos organisations religieuses ne font que nous aider à essayer de les réprimer, contrôler ou exploiter ce qui est naturel. Les autres reflètent seulement la peur que nous ressentons déjà. Comme je l'ai dit dans les chapitres précédents, l'ego cherche ce qu'il connaît : le familier, l'interchangeable. Il a besoin d'être rééduqué pour apprendre que la confiance en l'intuition permettra à l'énergie de circuler, apportant félicité et joie.

Nous commençons à être relativement plus attentifs à nos corps et à notre énergie sexuelle. Nous sommes nombreux à parler plus ouvertement de nos corps et de nos sentiments sur la sexualité. Mais nous sommes encore à un niveau superficiel. Nous ne sommes pas, pas encore, libérés de siècles d'abus et de croyances négatives qui sont emmagasinés dans nos cellules. Même si nous affirmons la beauté de nos corps et la valeur de l'ouverture sur la sexualité, au fond nous continuons à croire que notre énergie sexuelle est une force coupable et dangereuse. Nous nous méfions de nous.

Beaucoup de gens souffrent encore de l'idée erronée qu'énergie spirituelle et énergie sexuelle sont opposées, au lieu de reconnaître qu'elles sont la même force. Ils sont partagés en deux : ils essaient de refuser leur sexualité afin d'être plus spirituels, créent un terrible conflit intérieur et finissent par bloquer l'énergie même qu'ils recherchent.

L'univers est pure énergie sexuelle attendant de se déverser en nous. Ce pouvoir illimité nous a effrayé ; nous avons réagi en essayant de contenir et de contrôler l'énergie. Nous avons mis en place des règles et des lignes de conduite pour notre énergie sexuelle, au lieu de nous fier à nous-même instant après instant.

Personne ne sait à quoi ressemblerait l'énergie sexuelle pure et libérée, car soit nous nous révoltons contre les règles que nous avons nous-mêmes établies, soit nous nous y enfermons. Ces deux schémas nous empêchent de découvrir la vraie nature de notre énergie sexuelle. Il est impossible de faire des prévisions extérieures pour une énergie qui est si subtile et si variable.

Si vous posez des limites à votre énergie sexuelle, elle se déforme. Si vous croyez qu'il faut la cacher, l'ignorer, la contrôler, vous apprenez à vous retenir complètement ou à n'être sexuel qu'à des moments sans risques. Même pendant vos rapports, votre énergie peut être morte parce que vous êtes habitué à bloquer ce qui est naturel. L'énergie ne sait pas comment circuler. L'exemple classique de ceci est celui de la jeune fille a qui on a appris à retenir son énergie sexuelle jusqu'au mariage et alors, une fois mariée, elle est censée débloquer ce qu'elle a retenu pendant des années. Elle a de ce fait des problèmes pour laisser circuler librement l'énergie.

Beaucoup de gens ne veulent pas s'emprisonner dans des règles sexuelles répressives, aussi se révoltent-ils, allant au-delà de leur énergie sexuelle en ayant des rapports aussi souvent que possible. L'énergie sexuelle meurt aussi quand on la force, car ce comportement ne vient pas non plus de l'intérieur. Quand elle commence à mourir, les gens cherchent des stimulations toujours plus grandes. La satisfaction leur échappe de plus en plus. Plus on essaie de se l'approprier, plus elle devient insaisissable.

Comme je l'ai déjà dit, que nous acceptions les règles extérieures ou que nous les rejetions, nous le faisons au mépris de notre énergie naturelle. Entrer en contact avec elle nous demande d'abandonner toutes nos idées préconçues, c'est-à-dire de changer toute notre façon de faire. Pour atteindre l'extase, nous devons prendre le risque de nous faire confiance, apprendre à mettre les règles extérieures de côté, puis découvrir notre rythme intérieur.

## Faîtes confiance à votre corps
## Découvrez votre énergie sexuelle

L'énergie sexuelle est individuelle. Libérés de toutes nos règles, limitations et révoltes, nous serons capables de découvrir le cours naturel de notre propre énergie. Certains voudront s'exprimer sexuellement plus que d'autres. Certains voudront un amant, d'autres pas, d'autres beaucoup.

Je crois que nous pouvons aller vers l'innocence avec notre sexualité. Nous pouvons ressentir que notre énergie est pure, qu'elle est la force de l'univers circulant en nous. Nous pouvons commencer à faire confiance et agir d'après notre énergie sexuelle, sans subir l'influence d'idées préconçues. Nous serons ainsi libres de vivre dans l'instant.

Pour arriver à l'innocence, il nous faut d'abord reconnaître d'où nous venons. Nous devons voir toutes les anciennes croyances, les jugements et les attitudes qui nous ont empêché de faire l'expérience de notre vraie sexualité.

Cela pourrait résider simplement dans le fait d'être attiré par quelqu'un que vous rencontrez lors d'une soirée et vous vous voyez vous imaginant déjà au lit avec cette personne, ou vous vous surprenez à réprimer votre attirance sexuelle parce que vous êtes avec quelqu'un d'autre. Dans les deux cas, vous avez bloqué votre impulsion sexuelle, soit en vous projetant dans le futur, soit en essayant de l'ignorer. Vous pouvez vous observer en train d'éviter simplement de ressentir et apprécier votre énergie sexuelle. Quand vous constatez combien il vous est difficile de rester accordé à cette énergie, vous vous sentirez peut-être dépassé. Il se peut aussi que vous vouliez changer vos habitudes et suivre votre énergie sans délai. Il ne sert à rien d'essayer de changer tous vos jugements, vos limitations et de vous révolter. J'ai découvert que seul aide de s'accepter tel qu'on est. Si je veux bien m'accepter avec toutes mes limitations, mon corps peut instantanément se détendre, au lieu de mobiliser contre le changement. Ensuite il change, quand vient le moment.

Nos corps ont conçu des moyens compliqués pour freiner (ou plus exactement, pour contrôler) l'énergie qui circule en nous. Nos jugements et nos limitations nous ont bien aidés, ils ont ralenti le flot d'énergie à une allure acceptable. Les gens utilisent souvent la nourriture et les drogues pour contrôler et manipuler le flot naturel de l'énergie qui circule en eux. Même si vous avez l'impression d'augmenter votre énergie par un stimulant, en réalité, vous vous coupez de la puissance de l'universel qui se déverse en vous. Il en va de même pour la sexualité. Les gens ont trouvé des moyens de se contrôler sexuellement. Soit ils outrepassent leurs désirs naturels pour avoir plus de sexe qu'ils n'en veulent, soit ils bloquent leurs désirs sexuels. Dans les deux cas, ce contrôle empêche l'énergie de l'univers de circuler en nous.

Tant que nous ne sommes pas prêts à faire l'expérience de notre puissance sexuelle, nous utiliserons des méthodes comme le jugement, les croyances négatives, les attentes et les anciens comportements pour nous freiner. Le simple fait d'admettre nos raisons d'agir aide déjà l'énergie à se débloquer.

Savoir que je vais soutenir mes sentiments tels qu'ils se manifesteront me donne la liberté d'explorer mon énergie sexuelle sans projeter de le faire "comme il faut". Les craintes, la nervosité et les incertitudes surgissent dès que nous commençons à explorer notre énergie. Il nous faut toutes les accepter.

Imaginons par exemple que vous commencez à faire l'amour avec un nouvel amant, et que le souvenir d'un ex-amant vous attriste. A ce moment vous pouvez choisir de ressentir cette tristesse et de la partager avec votre partenaire, ou bien d'ignorer ce que vous ressentez et d'avoir un rapport. Là encore, quel que soit votre choix, observez ce que vous faites, ce que vous éprouvez, voyez ce que vous ressentez à partager vos sentiments ou à les ignorer. Votre corps vous dira d'instant en instant ce qui est le mieux.

Pour moi, suivre mon énergie m'apporte la récompense de me sentir bien. En restant avec l'énergie, je reste avec l'univers en moi. Je prends de plus en plus le risque de le faire, parce qu'ainsi je me sens vraiment vivre.

L'exercice suivant vous aidera à explorer votre énergie sexuelle : Pendant une journée, une heure, ou aussi longtemps que vous le voulez, faites comme si vous n'aviez aucune idée préconçue sur votre sexualité et sur ce que vous devriez ou ne devriez pas faire.

Avant de vous lever, observez votre corps puis allez en vous-même et essayez d'y trouver un coin d'innocence et d'enfance. A partir de cet endroit imaginez ce que sera votre journée. Demandez-vous comment est votre énergie sexuelle, ce qu'elle veut et ce que veut votre corps. Commencez à explorer toutes les sensations ou toutes les images qui font surface. Imaginez comment on peut vivre son énergie d'instant en instant. Voyez-la comme si elle était vraiment là. Si des pensées négatives se présentent, acceptez-les mais ne les retenez pas à ce moment-là.

En vous levant et en vous préparant pour la journée, conservez en vous un sentiment de nouveauté. Observez vos sensations corporelles, vos réactions physiques par rapport aux gens que vous rencontrez pendant la journée. Restez attentif à vous-même, à votre corps et à vos sentiments sexuels. Si vous avez une forte attirance sexuelle pour quelqu'un, remarquez comment vous vous sentez et quelles sont vos pensées, par exemple : il faut que je fasse quelque chose... Je le veux... Je la veux... Elle est mariée... Je suis marié... Elle ne me convient pas... Il est trop jeune...

Essayez de ne vous attacher à aucune de ces pensées. Si vous le pouvez, retournez à cet endroit d'innocence en vous, restez avec vous-même. Si vous choisissez d'agir d'après l'un de vos sentiments, faites attention de partir de cet endroit en vous, en faisant confiance et en suivant votre énergie intérieure.

## Suivre l'énergie dans les relations

Les gens veulent souvent savoir comment soutenir leur énergie dans le domaine des relations. Que pouvez-vous pour vous quand vous voulez un rapport et que l'autre ne le veut pas, quand, pour suivre votre énergie, vous prenez un autre amant alors que vous êtes engagé dans une relation monogame ou quand, pour suivre votre énergie, vous n'avez pas de rapports alors que votre partenaire en a envie ?

Il y a une crainte que ce que nous voulons ne soit pas ce que veut notre partenaire ou nos amis, que de se faire confiance à soi-même veuille dire offenser les autres. Je le répète, vous *pouvez* vous fier à vous-même et à votre énergie sexuelle.

Je ne crois pas que l'énergie de l'univers puisse jamais faire de mal ni à vous ni aux autres. Les gens peuvent sembler blessés sur le moment, mais si on se fie vraiment à l'énergie, nos actions enrichissent en fait les autres.

Si vous voulez avoir un rapport et que votre partenaire ne veut pas (ou vice-versa), soutenez et exprimez votre sentiment. Votre partenaire réagira ensuite et vous pourrez atteindre un niveau de communication plus profond. Si votre partenaire ne veut pas de rapport, il vous faut alors utiliser ce fait comme un miroir de ce qui se passe en vous. Interrogez-vous. Continuez à regarder en vous pour voir ce que vous allez faire ensuite. C'est cela, se fier à soi-même.

Il se peut que vous et votre partenaire ayez besoin de parler, il peut y avoir une peine ou une colère non exprimées, il se peut que vous ayez besoin de temps pour vous-même et que vous ne l'ayez pas reconnu. Continuez à soutenir et à exprimer ce que vous ressentez, pour que l'énergie circule librement.

Soyez ouvert à une forme de sexualité inhabituelle, l'énergie peut vous amener à être simplement assis ensemble, couchés ensemble, enlacés, à vous masser l'un l'autre, ou autre chose que vous ne considérez pas d'ordinaire comme sexuel, mais qui est peut-être tout aussi satisfaisant. Soyez authentique avec vos sentiments, et il ne se produira que des actions justes.

Les gens me demandent souvent que faire quand ils sont engagés dans une relation monogame et cependant attirés par quelqu'un d'autre. Comme je l'ai mentionné dans le chapitre sur les relations, il n'y a certainement pas de réponse simple à cette question. En général, nous bloquons l'énergie, soit en refoulant et en ignorant l'attirance, soit en nous révoltant contre la règle que nous nous sommes imposée et en découvrant que nous sommes encore plus attirés par la situation "interdite". Dans aucun des cas nous ne faisons confiance à l'énergie. Dans cette situation, il nous faut regarder plus profondément en nous pour

voir ce que nous ressentons vraiment. Vous faites-vous plus monogame que vous ne l'êtes réellement par culpabilité ou crainte
de perdre votre partenaire ? ou bien fuyez-vous le partage et l'intimité avec votre partenaire en cherchant des distractions ailleurs ? La situation exige une plus grande honnêteté et un niveau de communication plus profond avec toutes les personnes
concernées.

Bien qu'elle soit effrayante par son potentiel émotionnel explo-
sif, cette situation peut développer notre faculté relationnelle.
Restez ouvert à la possibilité qu'en étant complètement honnête,
la question se résoudra d'une façon où chacun trouvera ce qu'il
veut et dont il a vraiment besoin. Je le répète, vous *pouvez* ressentir une attirance pour quelqu'un sans qu'elle vous entraîne au
lit, mais dans une autre forme de relation que vous trouverez
tout à fait satisfaisante.

### Entretenir la passion dans les relations

Une relation se meurt quand les gens n'ont plus le désir de se
dire ce qu'ils ressentent vraiment. Quand on tombe amoureux,
au début, on est plus enclin à le faire, parce qu'on apprend à se
connaître et que la dépendance ne s'est pas encore installée.
Mais dès qu'elle existe, on arrête de partager les vrais sentiments, de crainte de perdre l'autre.

La passion n'est pas quelque chose qui disparaît tout d'un
coup. Elle nous abandonne quand nous ne voulons plus nous
ouvrir à nos sentiments, quand nous sommes prêts à nous perdre pour garder l'autre. Pour éprouver la passion, il nous faut
d'abord être authentiques par rapport à nous-mêmes, puis honnêtes avec les autres.

La passion est une véritable intimité entre deux partenaires.
En devenant un canal ouvert à vos sentiments, vous deviendrez
un canal ouvert à la passion et à la joie qui peuvent circuler en
vous.

## Méditation

Assis ou couché dans une position confortable, fermez les yeux et respirez plusieurs fois profondément. Détendez votre corps à chaque expiration. Puis respirez encore plusieurs fois profondément, et à chaque expiration, détendez votre esprit.

Avec chaque respiration, détendez-vous en cet endroit qui se trouve au cœur de vous même. Sentez la pulsion de l'énergie de l'universel qui émane du tréfonds de votre être et circule dans tout votre corps. Sachez que cette énergie s'exprime d'une manière sexuelle et passionnée.

Voyez que vous êtes l'expression de l'énergie ardente de l'univers qui circule de vous vers les autres. Imaginez que vous exprimez cette passion à votre (vos) amant(s), vos amis, dans votre travail, dans vos projets de création et dans vos loisirs.

Sachez que cette puissance qui réside en vous est innocente, vivante, créatrice et extatique. Sachez que vous pouvez vous fier à l'énergie qui circule en vous et que vous ne risquez rien à l'exprimer.

## Exercice.

Pour vous débarrasser de toutes les vieilles idées, préjugés ou opinions négatives sur la sexualité, je vous recommande de passer par l'écriture. En voyant vos opinions, vous pouvez prendre conscience que vous agissez d'après elles. Plus vous en êtes conscient, moins elles auront de pouvoir caché sur vous.

1. Ecrivez toutes vos opinions, pensées négatives et crainte sur la sexualité.

2. Ensuite, fermez les yeux et imaginez que vous donnez toutes ces craintes et ces opinions négatives à l'univers. Respirez profondément et abandonnez tout.

3. Ecrivez des affirmations pour vous aider à contrer vos opinions négatives. En voici quelques exemples :

| Opinion négative | Affirmation |
|---|---|
| Je ne réussis pas à trouver l'amant qu' il me faut | *J'attire maintenant l'amant qui me convient parfaitement. Ou bien, j'attire maintenant un amant agréable et passionnant.* |
| Je n'aime pas les rapports sexuels. | *La sexualité est saine. Je mérite d'en connaître les joies.* |
| Je n'ai pas le temps pour le sexe. Je suis toujours trop fatigué. | *Je me fie à mes sentiments et je les soutiens. Je prends du temps pour moi. Je communique mes vrais sentiments à mon partenaire.* |
| Je ne peux pas me fier à moi-même quand il s'agit de mes désirs sexuels. | *Je peux maintenant me fier complètement à moi-même. J'ai confiance en mes désirs sexuels et je les suis.* |
| Je veux trop de sexe. | *Je me fie maintenant à mon rythme sexuel. Je suis à l'écoute de ce que je veux et j'agis en conséquence.* |

# CHAPITRE XVIII

# TRAVAIL ET JEU

Le travail et le jeu sont une seule et même chose. Quand vous suivez votre énergie et faites toujours ce que vous voulez, la distinction entre les deux disparaît. "Travailler" n'est plus ce que vous *devez* faire, ni jouer ce que vous *voulez* faire. Quand vous faites ce que vous aimez, vous travaillez peut-être plus et vous produisez plus que jamais, mais ce sera pour vous un jeu.

Les gens avec qui je travaille, en groupe et en individuel, se demandent souvent ce qu'ils deviendront en évoluant. Que feront-ils, quel est leur but véritable ? Je leur dis que chacun a un but et que nous sommes tous des canaux de l'univers. Quand nous suivons la lumière, tout est agréable, créatif et mobile. Nous apportons notre contribution au monde en étant simplement nous-mêmes à chaque instant. Il n'y a plus de catégories rigides dans nos vies - ceci est le jeu, cela le travail - tout se fond dans le flot universel que nous suivons et l'argent coule à flot grâce au canal ouvert que l'on a créé. On ne travaille plus pour gagner de l'argent. Le travail n'est plus une obligation pour survivre. Le bonheur que vous trouvez à vous exprimer devient votre plus belle récompense. L'argent suit, car il fait naturellement partie de la vie. Il se peut même que travailler et gagner de l'argent ne soient plus directement liés ; vous serez peut-être amené à faire tout ce que vous avez l'énergie de faire tandis que l'argent vous arrivera . Il n'est plus question de : "Vous faites ceci et ensuite vous recevrez de l'argent". Les deux choses se produisent simplement en simultanéité dans votre vie, mais pas nécessairement dans une relation de cause à effet.

Dans le monde nouveau, il nous est difficile de centrer notre travail et notre vrai but sur une seule chose. En terme de carrière, la conception du monde ancien nous disait qu'à l'âge adulte, il nous fallait décider de notre métier, puis suivre des études ou entreprendre les démarches pour y parvenir. Nous devions ensuite garder ce métier presque toute notre vie.

Dans le monde nouveau, nombre d'entre nous sont des canaux pour différentes choses qui peuvent se combiner de manière fascinante. Vous n'avez peut-être pas trouvé votre métier parce qu'il n'existe pas encore. Votre façon particulière et unique de vous exprimer n'a jamais existé auparavant et ne se répètera jamais. Si vous vous entraînez à suivre l'énergie dans votre vie, elle vous mènera d'abord dans plusieurs directions. Vous commencerez à vous exprimer de toutes sortes de manières, qui s'uniront dans une synthèse surprenante, intéressante, nouvelle et très créatrice. Vous ne pourrez plus dire : "Je suis écrivain (ou pompier, ou professeur, ou femme au foyer)". Vous serez peut-être la combinaison de toutes ces choses. Vous ferez ce que vous aimez, ce pour quoi vous êtes doué, ce qui vous vient facilement, vous stimule et vous passionne. Tout ce que vous ferez vous semblera satisfaisant et vous comblera. Il ne sera plus question de faire les choses maintenant pour être récompensé ultérieurement : "Je travaille dur maintenant pour avoir une meilleure place plus tard. Je vais travailler dur maintenant afin de pouvoir profiter de la vie quand je me mettrais à la retraite. Je vais travailler dur maintenant pour avoir assez de temps et d'argent pour partir en vacances et m'amuser". Seul compte votre sentiment d'accomplissement à l'instant même où vous faites une chose. Si vous êtes un canal, tout ce que vous faites devient contribution ; même les choses les plus simples ont un sens.

C'est l'énergie de l'univers circulant à travers nous qui transforme et non pas les choses que nous faisons. Quand j'écris un livre qui contient une certaine sagesse, c'est l'énergie qui a de l'effet sur les gens. C'est en contact avec des niveaux de conscience plus profonds du lecteur. Les mots et les idées ne sont que la surface. Ce sont les outils qui rendent nos esprits capables de saisir ce qui a déjà changé. L'important n'est pas que j'ai écrit un livre. Il est important que je me sois exprimée, ouverte, permettant à l'énergie créatrice de circuler à travers moi. Cette énergie créatrice pénètre maintenant d'autres gens et d'autres choses dans ce monde. J'ai eu la joie de cette énergie circulant en moi et les autres ont la joie de la recevoir. C'est l'expérience de la transformation.

Que vous soyez en train de laver la vaisselle, de vous promener ou de construire une maison, si vous le faites avec le sentiment d'être là où vous voulez être, et de faire ce que vous voulez, tous ceux qui vous entourent ressentiront la plénitude et la joie de votre expérience. Si vous construisez une maison et que quelqu'un vous voit en passant, il ressentira l'impact de la plénitude de votre expérience. Sa vie sera transformée dans la mesure où il sera prêt à recevoir cet instant. Même s'il ne sait pas ce qui l'a touché, il commencera à envisager sa vie autrement. Le même phénomène se produit quand vous êtes vraiment. Si vous entrez dans une pièce, en vous sentant unifié, en sachant qui vous êtes, que vous êtes un canal et en vous exprimant de toutes les façons qui vous semblent justes, tous les gens dans la pièce seront transformés. Même s'ils ne peuvent pas le reconnaître, ou s'ils n'en savent rien de façon consciente, vous pourrez voir le résultat immédiat du fonctionnement de votre canal. Vous en verrez la preuve en observant les changements chez les autres. C'est une expérience incroyablement exaltante et satisfaisante.

Vous constatez qu'il n'est plus question de vous fixer sur une chose en particulier, même si vous êtes amené à vous concentrer et à vous construire une structure dans un domaine particulier. Vous pouvez choisir de vous former dans certaines spécialités pour que votre canal puisse fonctionner de la façon qui lui convient. Si vous le faites, vous y serez amené facilement et naturellement. Vous aurez autant de plaisir à apprendre qu'à faire. Autrement dit, il n'est plus nécessaire de sacrifier l'instant présent pour pouvoir faire plus tard ce que l'on veut. Apprendre se révèle très agréable, amusant et excitant. Vous faites l'expérience de faire exactement ce que vous voulez à chaque instant. S'entraîner, apprendre, aller à l'école, tout cela peut être agréable et satisfaisant si vous vous laissez guider par votre intuition.

A l'inverse, votre travail sera un apprentissage. Par exemple, j'enseigne dans des ateliers, non pas parce que je maîtrise l'information et que je suis le professeur et vous l'élève, mais parce que j'aime donner de moi-même de cette façon. Ce partage approfondit mon apprentissage. Une fois encore, il n'y a aucune différence entre apprendre et enseigner, tout comme il n'y a pas de différence entre travailler et jouer. Tout se mélange dans une expérience totalement intégrée et équilibrée.

La plupart des gens ont une idée, au moins tout au fond d'eux-mêmes, de ce qu'ils aimeraient faire. Ce sentiment est souvent tellement réprimé qu'on ne le ressent que sous la forme d'une sorte de caprice fou et irréaliste, d'une chose que l'on ne pourra jamais faire. J'encourage toujours les gens à se mettre en contact avec ces fantasmes. Observez et explorez soigneusement vos idées les plus incroyables, ce que vous voudriez être et ce que vous voudriez faire. Il y a du vrai dans ce désir. Même s'il vous semble irréalisable, il y a au moins un soupçon de vérité dans l'image. Elle vous dit un peu qui vous êtes vraiment et ce que vous voulez vraiment faire.

Vos fantasmes peuvent vous montrer comment vous voulez vraiment vous exprimer. Les gens, j'ai souvent eu l'occasion de m'en rendre compte, ont une notion intense de ce qu'ils aimeraient faire et pourtant ils s'engagent dans une carrière très différente de leur désir. Ils vont quelquefois à l'opposé, parce qu'ils y voient un intérêt pratique, ou pour avoir l'approbation de leurs parents, ou du monde. Ils s'imaginent qu'il est impossible de faire ce qu'ils veulent vraiment faire et qu'il leur faut donc s'adapter tant bien que mal à ce qui se présente. J'encourage les gens à prendre le risque d'explorer les choses qui les attirent réellement. Voici quelques exemples de personnes avec lesquelles j'ai travaillé et qui ont exploré leur vrai but :

1. Une femme brillante et douée qui a travaillé avec des malades et des mourants pendant des années. Elle était une excellente infirmière possédant un grand pouvoir de guérison, mais il devint évident pour elle, qu'il lui fallait aller là où elle pourrait s'exprimer plus créativement. Je l'encourageai à commencer par exercer son métier d'infirmière à temps partiel et à animer des ateliers et à faire du conseil pour les gens. Elle se sent de ce fait plus satisfaite et son entourage ressent aussi sa satisfaction.

2. Pour suivre la tradition familiale, Joseph se mit dans les affaires avec son père et ses frères. Il réussissait très bien dans
l'immobilier et comme entrepreneur. Le problème, c'est qu'il
voulait faire autre chose de sa vie. Après avoir été très encoura-
gé par le groupe d'un de mes ateliers, il admit qu'il voulait un
métier artistique, mais que sa famille ne l'approuverait pas. Il
avait par-dessus tout envie de danser. La première étape consis-
ta pour lui à s'avouer à lui-même ce qu'il voulait faire. Il trouva
ensuite le courage de suivre des cours de danse. Il était très doué
et attira immédiatement l'attention de son professeur. Il continua
à explorer cette forme artistique d'expression. Il découvrit en
soutenant ses désirs que sa famille le soutenait aussi.

3. Une de mes amies intimes avait trois enfants, pas d'éducation et vivait d'allocations. Elle désirait se lancer dans les affaires.
Elle sentait intuitivement qu'elle brasserait bientôt beaucoup d'argent, mais vu sa situation, cela lui semblait dénué de sens. Elle
décida néanmoins d'explorer des possibilités dans le quartier financier de San Francisco. Elle fut immédiatement engagée comme réceptionniste dans une société et trouva la personne au pair
idéale pour ses enfants. De réceptionniste, elle devint assistante
administrative, et continua à monter les échelons de la compé-
tence et de la responsabilité. Elle va droit vers son but qui est
d'être courtier. Elle adore ce qu'elle fait et ses enfants s'épanouissent aussi.

4. Une femme qui assista à l'un de mes derniers ateliers explique qu'elle avait été une pianiste de talent, avec l'espoir de faire
une carrière de concertiste. Puis, pour différentes raisons, dont
principalement un manque de confiance en elle-même, elle
abandonna son rêve. Elle commença à travailler dans un bureau
et découvrit qu'entre son travail et ses enfants, il lui restait peu
de temps pour la musique. Après quinze ans, elle estimait qu'il
était trop tard pour se remettre au piano. Elle sentait que le
temps perdu où elle n'avait pas joué lui ôtait toute chance de devenir une grande artiste. Malgré tous ses doutes, nous l'avons
encouragée à au moins recommencer à jouer. Je lui assurai que
si elle faisait ce qu'elle aimait, tout lui reviendrait facilement. En
s'ouvrant à cette idée, elle commença à s'ouvrir à elle-même.
Son sentiment d'impuissance fut remplacé par un sens renouvelé

de ses possibilités. Elle m'appela plus tard pour me dire qu'elle avait joué du piano et s'en était trouvée ravie. Une amie lui avait demandé d'accompagner une chorale et elle était très exaltée par les occasions musicales qui commençaient à se présenter.

## Méditation.

Assis ou couché dans une position confortable, fermez les yeux et détendez-vous. Respirez plusieurs fois lentement et profondément, en détendant plus profondément votre corps à chaque respiration. Respirez encore et détendez votre esprit. Relâchez et détendez toutes les tensions de votre corps. Imaginez, si vous le voulez, que votre corps s'enfonce presque dans le plancher, le lit ou la chaise.

De cet endroit très détendu en vous-même, imaginez que vous faites exactement ce que vous voulez dans votre vie. Vous avez un métier fabuleux qui vous plaît et vous comble. Vous faites maintenant ce que vous avez toujours rêvé de faire et vous gagnez énormément d'argent en le faisant.

Vous êtes détendu, plein d'énergie, créatif et puissant. Vous réussissez dans ce que vous faites parce que c'est exactement ce que vous voulez faire.

Vous suivez votre intuition d'instant en instant et vous en êtes largement récompensé.

## Exercice.

1. Suivez toutes les impulsions qui vont dans le sens de vos véritables désirs travail/jeu. Suivez l'impulsion, même si elle vous semble tout à fait irréaliste. Si, par exemple, vous avez soixante-six ans, et avez toujours voulu être un danseur classique, allez dans une école de danse et observez, ou si vous le voulez, suivez des cours. Regardez un ballet et imaginez que vous êtes un danseur. Quand vous êtes tout seul chez vous, mettez de la musique et dansez. Vous vous mettez ainsi en contact avec la partie de

vous-même qui veut s'exprimer de cette façon. Il se peut que finalement vous dansiez beaucoup mieux que vous ne le croyez
possible et que vous alliez vers d'autres formes d'expression que
vous aimerez tout autant.

2. Dressez la liste de tous vos fantasmes concernant le travail, la
carrière, la créativité, et en face, la liste des actions que vous
prévoyez d'entreprendre pour les explorer.

3. Ecrivez une "scène idéale", une description de votre emploi
idéal ou de la carrière qui serait sur mesure pour vous. Ecrivez-
la au présent, comme si c'était déjà fait. La description doit être
assez détaillée pour faire vrai. Rangez ensuite ce papier et regardez-le à nouveau quelques mois ou même quelques années plus
tard. Même si votre rêve à complètement changé à cette époque,
vous découvrirez probablement que vous avez fait des progrès
significatifs dans cette direction.

CHAPITRE XIX

# L'ARGENT

L'argent est un symbole de notre énergie créatrice. Nous avons inventé un système dans lequel nous utilisons des morceaux de papier ou de métal pour représenter une certaine unité d'énergie créatrice. Vous gagnez de l'argent en utilisant votre énergie, puis vous m'échangez cet argent contre l'énergie que j'ai mise à écrire ce livre, ou à mener un atelier et ainsi de suite. Comme l'énergie créatrice existe en nous tous sans limites, immédiatement disponible, elle est de l'argent en puissance. Plus nous voulons et plus nous sommes capables de nous ouvrir à l'univers, plus nous aurons d'argent. Un manque d'argent reflète tout simplement le blocage de l'énergie en nous.

Notre faculté à gagner et dépenser de l'argent avec abondance et sagesse, repose sur notre faculté à être un canal de l'univers. Plus votre canal est fort et ouvert, plus il y circulera d'énergie. Plus vous voudrez vous fier à vous-même et prendre le risque de suivre votre guide intérieur, plus vous aurez d'argent. L'univers vous paiera pour être vous-même et pour faire ce que vous aimez vraiment !

## L'argent dans le monde ancien

Le monde ancien est fondé sur notre attachement au monde physique extérieur. Nous cherchons la satisfaction dans les choses extérieures. Comme, nous pensons que notre survie dépend des choses que nous détenons, nous sommes amenés à penser que la plénitude peut être trouvée dans la richesse matérielle.

Dans le monde ancien vous pouvez construire une structure financière solide et gagner beaucoup d'argent en apprenant à agir
avec efficacité dans le monde (homme ancien). Toutefois, comme vos actions ne sont pas guidées par l'univers s'exprimant par
votre femme intérieure, l'édification de votre structure financière
se fera dans la lutte et la peur et vous paierez votre argent très
cher. Vous gagnez de l'argent, mais vous découvrez que c'est lui
qui vous gouverne. Vous pensez que l'argent est important en
soi : "Avec assez d'argent, je pourrai faire ces choses-là et alors
je serai heureux", ou bien : "Les autres m'aimeront si j'ai assez
d'argent et cela me rendra heureux". De ce point de vue, l'argent
a l'air d'être la chose importante, mais aussi longtemps qu'il est
valorisé de cette façon, il demeurera un problème.

Si vous avez trop peu d'argent, vous vous débattez constamment pour en avoir plus et vous avez toujours peur d'en manquer. Il y a toujours en vous cette horrible souffrance de ne pas
avoir assez de ce dont vous avez besoin. D'un autre côté, si vous
avez beaucoup d'argent, vous souffrez aussi, car vous avez peur
de le perdre. Vous n'en aurez jamais assez au point d'être immu-
nisé contre la peur.

Les gens qui ont peu d'argent se rendent rarement compte
que les gens qui en ont beaucoup ont aussi très peur. Ils
connaissent l'insécurité fondamentale de ne jamais savoir s'ils
vont perdre ou non leur argent. Des circonstances qu'ils ne
contrôlent pas peuvent se présenter : un investissement malheureux ou un vol. Si votre sentiment de sécurité dépend de l'argent, peu importe que vous en ayez peu ou beaucoup, vous vivrez de toute façon dans la peur.

Si nous ne nous rendons pas compte que l'argent est un symbole de l'énergie infinie et si nous pensons qu'il n'y en a qu'une
quantité limitée dans le monde, nous sommes pris entre deux
options : soit nous choisissons d'avoir beaucoup d'argent et nous
nous sentons coupables, soit nous choisissons de nous contenter
de peu et nous sommes jaloux de ceux qui en ont plus. Si vous
optez pour l'argent, vous vivrez en sachant que d'autres en ont
moins que vous. Vous vous demanderez peut-être si les autres
n'en ont pas moins *parce que* vous en avez plus. Vous pouvez

choisir de régler votre culpabilité en essayant de rejeter ou d'ignorer ce sentiment, ou en apaisant votre conscience en essayant d'aider ceux qui ont moins de chance.

D'un autre côté, vous pouvez choisir de dire : "Je ne veux pas me charger de cette culpabilité. Je ne prendrai pas plus que ma part. De toute façon, je me moque de l'argent. Je me limiterai donc au minimum, en m'assurant de ne léser personne". Cette attitude, pose un problème dans la mesure où elle finit par vous conduire à un sentiment de privation. Vous voyez dans le monde toutes sortes de belles choses merveilleuses que vous voudriez avoir pour en profiter, mais vous ne pouvez pas. Vous voyez d'autres gens qui ont plus que leur part et vous leur en voulez. Fondamentalement, dans ce cadre appartenant au monde ancien, il nous faut choisir entre la culpabilité et le ressentiment.

La structure du monde ancien nous demande d'agir à partir de la force de notre ego, au lieu de laisser faire l'univers. Nous pensons qu'il nous faut travailler vraiment beaucoup pour obtenir ce que nous voulons, l'éthique du travail se résume par : "travaillez dur. Sacrifiez-vous et battez-vous". Chez la plupart d'entre nous, ces principes sont si profondément ancrés que nous ne nous autorisons pas à réussir financièrement ou dans d'autres domaines sans travail acharné, lutte et sacrifices. Si vous réussissez et gagnez de l'argent, vous en payez le prix émotionnellement et souvent aussi physiquement. Beaucoup de gens se rendent eux-mêmes malades ou se tuent. Ils se battent et se sacrifient au niveau émotionnel et en fin de compte, même s'ils ont réussi dans le monde, ils se sentent cependant frustrés et vides.

Il y a aussi des gens qui refusent complètement l'argent. "Il implique bagarre, sacrifice, souffrance et aberration, donc je ne m'en occuperai absolument pas. Je me contenterai du strict minimum pour vivre". Souvent, les gens plus sensibles, enclins à la spiritualité, choisissent cette voie pour pouvoir se concentrer sur des choses qui revêtent "plus de sens". Le problème vient du fait que vous vous privez ainsi de la relation à ce qu'il y a de plus exaltant et de plus beau dans la vie. Si vous refusez l'argent, vous refusez aussi une grande partie de l'énergie universelle et la façon dont le monde fonctionne. Les gens qui choisissent cette voie sont en général ceux qui ne savent pas manier l'argent et refusent d'apprendre.

## L'argent dans le monde nouveau.

Le monde nouveau repose sur la confiance en l'univers en nous. Nous reconnaissons que l'intelligence créatrice et l'énergie de l'univers sont la source fondamentale de tout. Dès que nous les contactons et que nous nous y abandonnons, tout nous appartient. Le vide se remplit de l'intérieur.

Nous nous rendons compte que l'argent est un reflet de l'énergie qui circule dans notre canal. *Plus nous apprenons à agir dans le monde à partir de notre intuition, plus notre canal se renforce et plus nous avons d'argent.* L'argent dans notre vie dépend de notre faculté à écouter notre guide intérieur et à oser agir d'après lui. Quand votre égo n'essaie plus de contrôler et que vous apprenez à écouter l'univers et à agir selon lui, l'argent afflue dans votre vie. Il coule facilement, sans effort et joyeusement, parce qu'il n'implique aucun sacrifice. Vous n'y êtes plus attaché. Vous pouvez au contraire éprouver la joie d'apprendre comment suivre l'énergie de l'univers. L'argent constitue juste une prime dans le processus.

Vous savez que l'argent n'est pas vraiment à vous - il appartient à l'univers. Vous êtes le régisseur, l'économe de l'argent. Vous l'utilisez seulement de la façon que l'univers vous indique à travers votre intuition. Vous n'avez pas peur de le perdre, parce que vous savez que l'univers prendra toujours soin de vous. L'argent peut aller et venir, mais vous ne perdez pas la joie et la plénitude de votre vie. Quand vous ressentez cette forme de sécurité et de liberté, vous attirez de plus en plus d'argent et vous êtes de plus en plus poussé à approfondir votre confiance, à des niveaux plus intenses, pour des choses de plus en plus importantes. En dernier lieu, en tant que canaux, nous serons nombreux à devoir manipuler de grosses sommes d'argent, à partir de cet abandon et engagement complets à la puissance supérieure. Il s'agit de l'une des façons de manier efficacement la puissance de l'univers pour transformer le monde.

## Etre actif et réceptif.

Le processus de canaliser l'argent comporte un aspect actif et un aspect réceptif, comme tout autre procédé de création. La façon masculine active de gagner de l'argent consiste à aller le chercher. Vous voyez quelque chose que vous voulez et vous vous lancez. La façon féminine de gagner de l'argent consiste à attirer à vous ce que vous voulez.

Nous devons être capables de faire les deux. Il nous faut laisser sortir l'énergie qui veut aller vers un certain but et prendre sans crainte le risque d'agir en fonction d'elle. Il nous faut aussi nous entraîner à nous recharger, nous apprécier et à nous mettre en acccord avec nous-mêmes, de façon à attirer et à recevoir ce dont nous avons besoin. Beaucoup de gens ont développé un aspect, mais pas l'autre. Soit ils savent comment aller vers les choses, mais ont de la difficulté à attirer les choses à eux, soit il savent comment attirer les choses, mais ils ont peur d'aller vers elles. Il est souvent nécessaire de trouver l'équilibre. Vous avez peut-être besoin d'apprendre à recevoir les cadeaux, l'appréciation, l'amour et l'énergie qui viennent à vous, ou alors de vous entraîner à laisser votre énergie s'écouler dans le monde, ce qui lui permet de continuer à circuler dans votre canal. De cette façon, l'énergie n'est bloquée ni d'un côté ni de l'autre.

Au niveau pratique, cela signifie que vous devez avoir envie de prendre des risques dans le domaine du travail et de l'argent. Si vous ne faites que ce que vous estimez devoir faire pour gagner de l'argent et obtenir la sécurité, vous n'écouterez pas la voix intuitive qui vous dit ce que vous avez vraiment *besoin de faire.*

Vous pouvez vous trouver dans des situations très effrayantes quand il s'agit de votre travail et de votre argent. Les gens veulent souvent savoir : "Que dois-je faire si mon intuition me dit de ne pas aller travailler pendant une journée ? Vais-je perdre mon travail ?" Si prendre un jour de congé vous semble trop risqué, ce n'est peut-être pas encore pour vous le meilleur choix. Il vous faut commencer par vous structurer en suivant vos impulsions pour des actions moins lourdes de conséquences. Vous pouvez ne prendre qu'une demi-journée ou prévoir un week-end de trois jours. Mais un matin vous vous réveillerez peut-être en sachant : "Je n'irai pas travailler", et vous agirez en conséquence et vous vous en sentirez bien. En général, quand mon intuition me donne ce genre de message, j'ai besoin de me recharger, j'ai besoin de calme et de tranquillité, d'un moment créatif pour laisser venir l'inspiration, ou du temps pour simplement reconnaître d'anciennes émotions qui s'agitent en moi et que je dois ressentir pour m'en libérer.

Si vous prenez le risque de suivre vos impulsions, vous découvrirez peut-être quelques heures ou quelques jours plus tard, que votre énergie en sera renouvelée. Vous pourrez revenir à vos activités vous en acquitter en trois fois moins de temps, d'une façon plus créatrice et plus inspirée. Tout peut arriver si vous osez vous fier à vous-même. Si vous prenez le risque de rester chez vous, vous recevrez peut-être un coup de téléphone de quelqu'un qui vous offre un meilleur emploi, mieux payé (c'est arrivé à un de mes amis). Vous pouvez avoir une inspiration créatrice qui vous ouvrira des perspectives agréables et prometteuses, ou vous pouvez avoir l'idée de rendre visite à quelqu'un qui vous mettra sur la voie d'une grande aventure. Toutefois, si vous détestez votre travail, votre énergie ne se renouvellera pas pour lui. Et, comme votre vraie énergie créatrice est bloquée, vous continuerez à vous sentir financièrement bloqué. Vous quitterez finalement votre emploi parce que vous ne pourrez pas en rester éternellement prisonnier.

A la base, tout le problème de l'argent se réduit à celui de faire tout le temps ce que vous voulez. L'univers vous récompensera d'avoir pris des risques pour lui. Il est cependant important que ces risques soient proportionnels au développement de la structure que vous élaborez. Autrement dit, si vous commencez juste à apprendre comment vous fier à votre intuition et à la suivre, vous ne voudrez sans doute pas conclure un marché portant sur un million de dollars à partir d'une impulsion. Vous n'aurez sans doute pas envie de sauter du haut d'un immeuble en espérant pouvoir voler. Il convient de commencer petit. Entraînez-vous à suivre votre intuition dans les choses de la vie quotidienne. Dites non, même si vous sentez qu'on vous pousse à dire oui.

Faites ce que vous avez envie de faire, même si vous ne savez pas pourquoi. Faites-le d'après l'impulsion, qu'il s'agisse de passer un coup de téléphone ou de prendre un jour de congé. Pensez aux choses que vous aimez et faites-les, jusqu'au moment où vous serez capables de plus grandes audaces.

**Trouver l'équilibre.**

Lorsque vous avez compris le processus pour apprendre à suivre votre intuition et à agir d'après elle, vous avez la base pour canaliser l'argent. Il existe cependant des aspects concernant plus spécifiquement la relation de l'argent et il est important pour vous de les connaître.

L'équilibre est une qualité essentielle, dont vous avez besoin pour construire votre canal. Si vous avez été extrême dans une direction, il vous faudra peut-être aller à l'autre extrême, de façon à intégrer et équilibrer les deux aspects de chaque chose. Si, par exemple, vous n'avez eu aucune notion de la valeur de l'argent ou si vous avez refusé d'admettre son importance dans votre vie, il vous faudra construire des structures spécifiquement en rapport avec l'argent. Elles incluent : apprendre à gérer votre compte en banque, faire un budget, comprendre les règles de la circulation de l'argent dans le monde. Vous découvrirez que ces trois points sont très intéressants. Vous ne les considèrerez plus comme vous éloignant du spirituel, mais ils ouvriront la voie pour que l'esprit puisse circuler davantage en vous.

Les gens qui ont peu de notions de l'argent ont en général choisi d'éviter de se structurer à un niveau ou à un autre, de peur que les règles, les réglements et le souci des détails ne les éloignent de l'aspect magique de la vie. Ils redoutent d'être complètement pris par leur esprit rationnel, au lieu de suivre leurs inclinations. Si vous avez cette crainte, rentrez en vous et demandez à l'univers de vous guider pour que vous abordiez la question de l'argent d'une façon qui vous mette à l'aise. Il vous faudra peut-être recourir aux services de quelqu'un qui vous montrera comment organiser vos finances. Cette affaire ne doit pas être une épreuve pour vous. Vous y trouverez de l'énergie et un appui pour votre vie, et non pas de la peine ni de l'ennui.

Ceux qui ont déjà mis en place une bonne structure pour travailler avec l'argent dans le monde auront peut être besoin de se laisser aller et d'assouplir cette structure. Arrêtez de suivre vos règles pour permettre à l'inspiration émanant de l'esprit de l'argent de travailler dans votre vie. Faites confiance à votre intuition pour vous guider et prenez plus de risques pour agir autrement que selon vos habitudes.

De même, si vous avez économisé l'argent, ne dépensant qu'avec parcimonie, il vous faut apprendre à le dépenser plus selon vos impulsions, en vous basant sur votre intuition. Dépensez-le quand c'est un désir qui vient de vous-même. Apprenez à suivre ces impulsions et vous découvrirez que vous ne finirez pas ruiné pour autant. Cette attitude accroît la circulation de l'argent dans votre vie. En vous appuyant sur votre intuition, vous pourrez vous laisser aller.

Si vous avez été dépensier, vivant toujours au-dessus de vos moyens, vous avez probablement besoin de planifier, de faire un budget. Là encore, faites-le en accord avec votre sentiment intérieur. Si vous vous ouvrez à elle, votre intuition vous dira : "Hé, apprends un peu à planifier ! Apprends donc à faire un budget !". Elle vous soutiendra et vous aidera. Vous n'aurez pas l'impression de vous restreindre. Si vous suivez votre intuition, elle vous mènera vers les gens qui peuvent vous montrer comment procéder et vous vous découvrirez de l'intérêt pour la question. Cela aussi sera bénéfique pour votre canal.

**Bien viser.**

Autre chose importante à savoir sur le fonctionnement de l'argent : il vous parviendra toujours par ce que vous avez créé dans votre vie pour le recevoir. Etant de l'énergie, il sera attiré par ce dont vous avez besoin, ce que vous voulez ou ce que vous envisagez. Si vous avez toujours considéré l'argent au niveau de la survie, en en ayant juste assez pour l'indispensable, votre argent ira dans cette direction. Si vous commencez à attirer plus d'argent dans votre vie, vous aurez peut-être tendance à élargir votre conception de l'indispensable, et vous n'aurez par conséquent toujours pas plus que ce que vous avez besoin.

Je suis longtemps restée dans cette situation. J'avais un programme sous-jacent qui disait : "Je peux seulement avoir l'argent
dont j'ai besoin. Il n'est pas bon d'en avoir davantage". J'ai créé
plus de besoins, dont certains m'étaient particulièrement agréables. Ma voiture tombait en panne et j'avais de gros frais de
réparation, ou mon chat tombait malade et me coûtait cher en
soins chez le vétérinaire. Tout l'argent qui m'arrivait en extra
passait dans une urgence ou un besoin de base. Il ne me restait
toujours rien pour m'amuser, pour créer ou m'offrir plus de luxe.

Je découvris qu'il me fallait créer un budget qui comprenne ce
que je voulais aussi bien que ce dont j'avais besoin. Je commençai à un niveau raisonnable : "J'aimerais acheter au moins un vê-
tement par mois qui sorte de l'ordinaire. J'aimerais aussi avoir
une activité qui me plaise beaucoup". J'incluais cela dans mon
budget et l'argent nécessaire venait. Voilà le pouvoir du budget.
Un budget est comme une empreinte. Si vous créez une liste,
une image dans votre esprit de ce que vous voulez avoir dans
votre vie, vous créerez l'argent nécessaire. Il vous suffit de développer ce processus pas à pas.

**Mon histoire à titre d'exemple.**

Pendant la plus grande partie de ma vie d'adulte, j'ai eu très
peu d'argent. Je ne me suis jamais beaucoup concentrée sur l'argent ; je ne m'y intéressais pas particulièrement. Je me contentais
de faire ce qu'il fallait pour payer mon loyer et mes factures,
mais je vouais en majorité mon temps et mon attention à ma
formation, à mon évolution sur le plan de la conscience et à
mon expansion créatrice.

J'ai exercé toutes sortes de métiers pour avoir cet argent, j'ai
participé à des projets de création, j'ai fait des ménages, des petits "boulots" et j'ai même lancé ma propre affaire. Une seule fois
dans ma vie, j'ai travaillé de neuf heures du matin à cinq heures
du soir pendant six mois !

J'avais l'habitude de vivre au plus juste, sans trop savoir d'où
venait mon argent. Pendant ces années-là, j'ai appris à avoir
confiance : d'une façon ou d'une autre, l'argent devait venir. J'ar-

rivais quelquefois à mon dernier dollar et puis, l'argent arrivait. Je ne me sentais jamais abandonnée.

Puis, progressivement, en commençant à utiliser de plus en plus ce processus, en apprenant à me fier à mon intuition et à agir d'après elle, en apprenant à écouter mon guide intérieur et en osant m'affirmer plus dans le monde, je me suis mise à gagner plus d'argent. Mon style de vie devint de plus en plus agréable, jusqu'au point où j'ai pu très bien gagner ma vie et habiter un très bel appartement, en faisant pour la plus grande part ce que je désirais. J'en étais arrivée à compter sur ce volume d'argent, alors que rien n'était jamais sûr. Je vivais encore au jour le jour, mais l'argent semblait venir naturellement à moi. J'affirmais constamment ma confiance dans le fait que l'univers prenait soin de moi et j'essayais de suivre sa guidance.

Mais arriva le moment où, tout d'un coup, je n'eus plus d'argent. Des événements inattendus se produisirent et je fus prise de court. Je payai mon loyer et mes factures, puis je regardai mon compte en banque ; il ne me restait rien. Je n'avais ni économies ni autres ressources pour me tirer d'affaire. Ce fut très effrayant, car, à cette époque, j'étais habituée à une certaine aisance.

Ce qui m'étonne le plus dans cette expérience, c'est que ma frayeur n'a duré que cinq minutes. J'ai pensé : "Oh, mon Dieu, que vais-je faire ?". Puis je me sentis tout à fait calme. Il me fallait éprouver ces cinq dernières minutes de panique et ce fut comme s'il ne demeurait plus en moi aucune crainte concernant l'argent. Je sus que tout irait bien.

Je me savais prête à faire tout ce que l'univers me demanderait ; c'est un point clé. Je me souviens avoir pensé : "Bon, j'adore mon appartement, mais je pourrais l'abandonner. J'adore toutes les choses que j'ai, mais je pourrais les abandonner. Si l'univers veut que j'aille vivre sous la tente dans le jardin de quelqu'un, je le ferai. Ce sera probablement merveilleux".

C'était un sentiment étonnant de confiance et de certitude : rien de ce que j'avais n'était tellement important et je ne pouvais pas vraiment perdre. Tout ce que j'allais faire par la suite, même s'il s'agissait de choses très différentes, serait tout aussi merveilleux. On prendrait soin de moi. Ce n'était pas un simple savoir intellectuel, car je savais cela intellectuellement depuis longtemps déjà. Vivre ces cinq minutes de peur me laissa avec un sentiment de délivrance de ma peur. Je sus qu'émotionnellement j'allais bien. Ce fut une expérience très profonde.

Je finis par réduire un peu mes dépenses et mon style de vie. Tout se passa bien et je ne me sentis pas le moins du monde privée. En fait, je suivis pendant un moment une douce discipline. Tous mes besoins furent satisfaits. L'argent arriva pour couvrir mes dépenses et je me sentis soulagée. J'avais atteint le niveau exact de ma forme. Je n'étais plus en aucune façon, en avant de moi même et, depuis lors, ce fut comme si, j'arrivais sur terre, je construisais à partir de fondations solides. Je sus à ce moment que je me tenais sur une base inébranlable de confiance complète en l'univers. Je sus qu'à partir de ce moment, il y aurait de plus en plus d'argent dans ma vie et que jamais plus je n'en manquerais.

C'était il y a deux ans. Depuis, l'argent et l'abondance ne cessent d'augmenter dans ma vie. J'apprends maintenant à vraiment en profiter et à laisser mon guide intérieur me dire à chaque instant ce que je dois faire. J'ai atteint un niveau au point de vue de mes affaires et de mes finances que je n'avais jamais connu auparavant. J'ai pris conscience du besoin de manipuler, traiter tout cela en me laissant *totalement* guider par l'univers. J'étais devenue capable de suivre l'univers pour un certain niveau de mon existence, mais le nouveau défi fut d'apprendre à faire confiance à un niveau plus large, avec des enjeux plus importants.

Face à ce nouveau niveau de prospérité, je me suis d'abord sentie plutôt ignorante et paralysée. Sachant que j'avais besoin d'aide, j'ai demandé à l'univers de m'envoyer les bons canaux pour me renseigner et me guider dans ce domaine. Après avoir consulté un bon nombre de conseillers financiers, je fus guidée à la fois vers un comptable et un gérant qui me convenaient parfaitement, et qui m'aidèrent à apprendre ce qu'il fallait.

Pendant que j'animais des ateliers à Hawaï, j'eus l'occasion d'acheter un terrain et, en même temps, d'apprendre à me fier à mon intuition sur une grande échelle. Je pensais depuis longtemps qu'il serait merveilleux d'acquérir un endroit pour y créer un centre. Hawaï semblait le lieu idéal, mais je n'ai pas cherché activement. En fait, il s'agissait pour moi d'un projet d'avenir. Puis, un magnifique terrain me tomba littéralement dessus. Quelqu'un m'en parla, je le vis et fus tout de suite conquise. Il était à vendre pour un prix très raisonnable.

Je savais intellectuellement que le moment n'était pas favorable à cet achat, mais je sentais intuitivement qu'il fallait le faire. Je m'adressai donc à ma puissance supérieure : "Je vais acheter ce terrain car je sens l'énergie pour le faire. Si tu ne veux pas et si ce n'est pas le bon moment, alors bloque-moi, sabote ma démarche".

J'espérais malgré moi que ma démarche n'aboutirait pas, car je jugeais réellement le moment mal choisi. Cependant, l'affaire suivit son cours. En fait, tout continua à s'enchaîner miraculeusement pour me pousser dans cette direction. Quand vint le temps de prendre la décision finale, j'en étais toujours à me demander : "Faut-il vraiment que je le fasse ?" Mon gérant me mettait en garde contre cette transaction qu'il jugeait inopportune. Alors qu'en général il m'encourageait plutôt, il reflétait cette fois la partie de moi-même qui doutait de la valeur de mon impulsion. Mais même lorsque je pensais que ce n'était pas une bonne idée, mon moi intérieur continua à dire : "Fais-le".

Je savais que ce n'était pas logique, mais je suivis mon intuition. J'achetai le terrain et tout se passa parfaitement bien. J'eus après coup un sentiment très exaltant. Je sus que j'étais passée à un niveau totalement nouveau de confiance en moi et de détermination à un canal et à marcher avec l'énergie.

**Méditation.**

Assis ou couché dans une position confortable, fermez les yeux et commencez à respirer de façon naturelle et aisée. A chaque respiration, vous vous détendez plus profondément.

Commencez à observer comment vous vous sentez. Comment vous sentez-vous émotionnellement ? Comment se sent votre corps ? Observez l'énergie dans votre corps. Comment la sentez-vous ? Remarquez que vous prenez plus d'énergie à chaque respiration. Vous êtes plein d'énergie et vivant.

Commencez à imaginer que cette énergie est de l'argent. Voyez l'argent circuler à travers votre corps. En vous ouvrant à votre propre énergie, vous vous ouvrez à l'abondance. Il y a pour vous de l'argent disponible en quantités illimitées.

Imaginez tout l'argent que vous pourriez désirer. Voyez-le devant vous, touchez-le et jouez avec. Prenez le temps pour être avec l'argent dans votre vie. Voyez l'argent qui vient à vous. Sachez que vous attirez l'argent et qu'il vient à vous facilement.

Imaginez-vous entouré de tout ce que l'on peut acheter avec de l'argent. Voyez la beauté et la créativité dans votre vie. Voyez les beaux vêtements, les maisons, les voitures et le style de vie que vous auriez. Voyez les façons créatrices et agréables de dépenser votre argent. Sachez que l'argent vient librement vers vous et que vous le redistribuez aussi facilement.

Sentez-vous ouvert à l'énergie dans votre corps et aux quantités illimitées d'argent qui vous sont accessibles.

**Exercice.**

Le manque d'argent reflète seulement des blocages de l'énergie en vous. Ecrivez toutes vos façons de limiter vos désirs et votre créativité. Comment vous débrouillez-vous pour ne pas faire ce que vous voulez ?

En voici quelques exemples :

1. J'exerce un métier administratif dans un bureau, alors que je préfèrerais travailler avec des enfants.

2. Je veux méditer, mais je n'en ai jamais le temps.

3. J'aimerais explorer davantage mes talents artistiques, mais je n'ai pas le temps ; il faut que je gagne ma vie.

4. Je veux dire à mon père (à mon ami, à mon amant) ce que je ressens, mais je crains de le blesser.

Imaginez maintenant que vous faites exactement ce que vous voulez faire dans chacun de ces domaines.

# CHAPITRE XX

# LA SANTE

Notre corps est la première de nos créations, le véhicule que nous avons choisi pour nous exprimer dans le monde physique. Il est comme un morceau d'argile à demi formé, qui continue à se mouler lui-même pour exprimer l'énergie circulant à travers lui. En regardant notre corps, en l'écoutant, en le sentant, nous pouvons beaucoup apprendre sur nos schémas spirituel, mental et émotionnel. Le corps est le premier mécanisme témoin qui nous montre ce qui va et ce qui ne va pas dans nos façons de penser, de nous exprimer et de vivre.

Tout enfant normal, qui a bénéficié d'un environnement relativement positif, a un beau corps, vivant, dynamique. Cette beauté, cette vie et ce dynamisme sont simplement l'énergie de vie naturelle de l'univers qui y circule, sans être entravée par des habitudes négatives. De petits enfants dans un environnement qui les soutient sont des êtres tout à fait spontanés. Ils mangent quand ils ont faim, s'endorment quand ils sont fatigués et expriment exactement ce qu'ils ressentent. De plus, leur énergie ne se bloque pas et ils se régénèrent et se revitalisent en permanence.

Mais aucun de nous n'ayant été élevé de façon même approchant seulement de la perfection, nous commençons très tôt à développer des habitudes qui vont à l'encontre de notre énergie naturelle. Ces habitudes sont destinées à nous aider à survivre dans le monde névrosé où nous nous trouvons. Nous prenons des modèles dans nos familles, chez nos amis, nos professeurs et dans l'ensemble de la société.

En suivant les comportements que nous avons observés chez les autres ou en essayant de suivre les règles et réglements établis par les autres, nous allons à contre-courant par rapport au flot naturel de notre énergie. Nous n'agissons plus d'après ce que nous savons physiquement et émotionnellement ; nous cessons de dire et de faire ce que nous ressentons vraiment. Nous n'écoutons pas les signaux que nous donne notre corps à propos de la nourriture, du repos, de l'exercice et des soins dont il a besoin. Il devient trop risqué de suivre notre propre énergie, aussi la bloquons-nous et progressivement nous ressentons de moins en moins d'énergie et de vitalité. Comme le flot d'énergie diminue, le corps ne se revitalise plus aussi rapidement ; il commence alors à vieillir et à se dégrader. Comme nous répétons des comportements négatifs chroniques, nos corps se mettent à les refléter, ils se voûtent par exemple, traduisant le schéma intérieur par lequel nous nous faisons petits et impuissants.

Si vous êtes prêt à laisser l'énergie de l'univers circuler en vous, en vous fiant à votre intuition et en la suivant, vous augmenterez votre sens de la vie et votre corps le reflètera par toujours plus de beauté, de santé et de vitalité. Chaque fois que vous ne vous fiez pas à vous-même et que vous ne suivez pas votre vérité intérieure, vous réduisez votre vitalité et votre corps le reflète par une perte d'énergie, un engourdissement, une douleur et, pour finir, une maladie physique.

La maladie est un message de notre corps nous disant que, quelque part, nous ne suivons pas notre véritable énergie ou que nous ne soutenons pas nos sentiments. Le corps nous donne de nombreux signaux, il commence par des sensations relativement subtiles de fatigue et d'inconfort. Si nous ne leur prêtons pas d'attention et si nous ne prenons pas les mesures appropriées, notre corps passera à des signaux plus importants, malaises, douleurs, petites maladies. Si nous ne réagissons toujours pas, une maladie grave ou fatale, ou bien un accident, peuvent survenir. Il est possible d'échapper aux messages plus insistants en faisant attention aux messages plus subtils. Mais quand arrive un message d'importance, il n'est jamais trop tard pour se guérir, si nous le voulons vraiment. Cependant, à ce stade, de nombreux êtres ne choisissent pas la guérison. Ils décident de quitter leur corps pour recommencer avec un autre corps, plutôt que d'essayer de se frayer une voie à travers tous les vieux schémas de celui-là.

Si vous êtes malade, reposez-vous. Votre corps aspire toujours au repos et au bien-être quand il est malade. Puis, quand vous vous sentez mieux, demandez à votre corps quel est le message de votre maladie. Il vous indiquera toujours ce dont vous avez besoin pour vous guérir.

Une de mes amies a souffert de douleurs violentes sur le côté droit du visage. Elle eut l'intuition qu'en ouvrant la bouche et en affirmant davantage ce qu'elle voulait et ce qu'elle savait, sa douleur s'apaiserait. Elle le fit et la douleur diminua en effet, mais sans disparaître. Une nuit, dans un état propice au lâcher-prise, elle dit à l'univers qu'elle en avait assez de cette histoire et demanda une réponse. Puis, elle cessa de penser au problème et s'endormit. Cette nuit-là, son intuition lui dit en rêve d'arrêter de prendre de la levure de bière. Elle qualifia aussitôt le message de bizarre et continua à prendre de la levure. Puis, quelques jours plus tard, comme ce sentiment intérieur ne la quittait pas, elle renonça à la levure. Deux jours plus tard, sa douleur avait disparu.

Quand vous demandez une guérison, vous ne savez jamais ce que votre corps va vous dire. Il peut vous demander d'arrêter ou de commencer à manger quelque chose, d'exprimer vos sentiments envers un ami, de quitter votre emploi ou d'aller chez le docteur. Il faut interroger, puis écouter la réponse.

J'ai eu un client qui souffrait beaucoup du dos depuis un an et demi. Pendant la session, je lui demandai de contacter la douleur et de demander à son corps ce qu'il essayait de lui dire. Il se rendit compte alors qu'il n'avait pas pleuré à la mort de sa mère, ni exprimé la colère qu'il ressentait envers son père. Il retenait et sa tristesse et sa colère dans son dos. Le fait d'en prendre conscience soulagea un peu ses douleurs. Nous sommes allés plus loin et il a réussi à pleurer sur la mort de sa mère. Peu après, il était prêt à exprimer sa colère envers son père. Il commença par m'en parler et à mettre tous ses sentiments par écrit. Sa douleur disparut. Depuis, son dos continue à fonctionner comme un baromètre des sentiments qu'il réprime : il sait maintenant que s'il souffre, il s'agit d'un rappel à exprimer certains sentiments.

Une fois que nous avons développé un symptôme, il peut réapparaître si le comportement réapparaît. Nos corps nous sont utiles, car ils nous informent clairement de tout blocage d'énergie. J'ai dressé ci-dessous la liste de quelques causes courantes de douleurs ou de maladies physiques. Chacune s'accompagne d'une affirmation de guérison.

*Migraine* : deux forces, deux sentiments sont en conflit en vous ; laissez parler les deux ;
*Je veux maintenant être à l'écoute de tous mes sentiments.*

*Rhume* : le corps a besoin de se reposer, de se débarrasser de l'ancien ; il a besoin de retrouver un équilibre.
*Mon corps est en parfaite harmonie. Je veux maintenant vivre à l'aise et détendu. Je suis prêt à abandonner l'ancien.*

*Mauvais teint* : énergie masculine réprimée ; besoin d'agir et/ou de s'exprimer plus directement.
*Je soutiens tout ce que je ressens et ce que je veux, et je l'exprime clairement et directement.*

*Eruptions cutanées* : désir de se lancer, de passer à l'action ; demandez-vous : "Qu'est-ce qui me démange ?"
*J'agis d'après mon intuition. Je veux essayer des choses nouvelles. Je fais ce que je veux.*

*Allergies* : manque de confiance en l'intuition, sentiments refoulés ; les allergies liées aux yeux qui pleurent indiquent une tristesse réprimée.
*Je me fie à mes sentiments et je les exprime. Il est bon de sentir et d'exprimer ma tristesse et ma colère.*

*Mal au dos* : sentiment de devoir porter les autres et le monde. Besoin d'exprimer et de soutenir vos sentiments ; la douleur dans le bas du dos est souvent un signe de tristesse réprimée ; dans le haut, de colère réprimée.

*Je soutiens tous mes sentiments. Je prends soin de moi. J'exprime et je crois en mes sentiments. Je crois les autres capables de prendre soin d'eux-mêmes.*

**Dysménorrhée :** vous n'écoutez pas et n'honorez pas pleinement votre aspect féminin ; besoin d'être au calme et d'aller en vous.

*J'honore totalement la femme en moi et j'agis d'après ce qu'elle me dit de faire.*
*Je me détends, je me repose et je me recharge régulièrement.*

**Problèmes de vue :** refus de voir certaines choses en soi ou dans le monde. C'est souvent une décision prise très tôt de ne pas regarder ce que l'on "voit" intuitivement, parce que c'est trop douloureux ; quand la vision intérieure se ferme, la vision extérieure est affectée en conséquence.

*Je veux maintenant y voir totalement clair dans ma vie.*

**Problèmes auditifs :** besoin de se fermer aux voix et aux influences extérieures ; besoin d'écouter davantage la voix intérieure.

*Je n'ai pas besoin d'écouter quelqu'un d'autre. J'écoute et je me fie à ma voix intérieure.*

## Dépendance.

Plus nous avons du mal à faire confiance à notre énergie naturelle, plus nous sommes susceptibles d'utiliser des drogues comme le café, les cigarettes, l'alcool, des aliments raffinés ou en quantité excessive, de la marijuana, de la cocaïne, n'importe quoi pour essayer de manipuler notre énergie et, par la même occasion, épuiser et dégénérer encore plus le corps.

La plupart des gens ont peur de leur énergie et de leur puissance. Ils ont peur d'être trop ou trop peu ; ils ont peur d'avoir trop ou pas assez d'énergie. S'ils voulaient bien abandonner les substances intoxicantes, ils découvriraient leur propre énergie. Ils trouveraient alors leur vraie source de puissance et de créativité.

Je vois ces dépendances comme des moyens que les gens emploient pour mettre leur puissance au pas. Beaucoup de gens puissants et créateurs agissent ainsi parce qu'ils n'ont pas la force intérieure pour soutenir leur énergie. Si l'on n'a pas confiance en l'univers, la puissance et la créativité peuvent paraître submergeantes. En prenant des substances, vous pouvez forcer votre énergie naturelle ou l'étouffer, mais de toute façon, vous arrêtez le flot naturel de l'univers en vous.

Vous n'avez pas besoin d'être un drogué complet pour vous rendre compte que vous utilisez une substance dans le but de manipuler votre énergie. Vous pouvez constater que vous buvez trois tasses de café pour vous donner de l'énergie et découvrir ensuite que vous êtes épuisé (nous sommes une nation intoxiquée par le café que je considère comme une drogue dure, car il endommage sérieusement notre faculté à faire confiance à notre énergie et à la suivre).

S'il s'agit d'un problème physique ou émotionnel, mais que vous ne pouvez pas arrêter, commencez par observer ce que vous faites. Prenez conscience de quand et pourquoi vous prenez du café. Remarquez comment il change votre énergie. Vous découvrirez finalement que cela n'en vaut pas la peine.

Rendez-vous compte que nous adoptons tous une forme de dépendance pour nous contrôler. Nous nous en libèrerons en construisant notre confiance en nous-mêmes et en l'univers. Devenez de plus en plus désireux de connaître votre puissance et votre force, telle est la guérison véritable.

Pour ceux qui sont dépendants de la drogue ou de l'alcool, il ne suffit pas qu'ils se rendent compte que c'est un moyen de se freiner. Cela vous rendra peut-être plus conscient de votre problème et de votre degré de fermeture, mais, en général, la demande physique l'emporte sur la prise de conscience. J'encourage pour cette raison les gens à se faire aider et soutenir par un conseiller professionnel spécialisé dans ce domaine, ou par un groupe comme les Alcooliques Anonymes, pour se délivrer de leur dépendance. Ils donnent ainsi au corps une chance de se guérir et à l'esprit une chance de se faire entendre. Dans le cas de la drogue, et le corps et la drogue bloquent toute voix émanant de l'esprit.

## Méditation.

Assis ou couché, fermez les yeux et respirez plusieurs fois profondément. A chaque respiration, sentez votre corps descendre dans un endroit relaxé. Détendez votre esprit et laissez défiler vos pensées. Essayez de ne vous attacher à aucune d'entre elles. Sentez que vous vous relaxez dans un endroit paisible en vous.

Cette place profonde est une source de nourriture et de guérison pour vous. Sachez que vous pouvez y aller pour trouver tout ce que vous avez besoin de savoir afin de vous guérir. Si vous avez un problème de santé ou une question à propos de votre corps que vous voulez poser à votre intuition, saisissez l'occasion pour le faire maintenant.

Demandez : "Que dois-je faire pour me guérir maintenant ? De quoi mon corps a-t-il besoin ?" Après la question, restez ouvert à toute réponse qui vous viendra. Une réponse ou une intuition peuvent se présenter aussitôt ou dans les jours qui suivent. Elle vous parviendra directement sous la forme d'une solution, ou vous serez peut-être guidé vers une personne ou un endroit qui vous donneront les réponses dont vous avez besoin.

Sachez que vous avez le pouvoir de guérir et qu'une sagesse infinie réside en vous.

Faites ces affirmations, en silence ou à haute voix : *"Maintenant je suis en train de me guérir. Je suis plein d'énergie, de vie et rayonnant de santé".*

## Autre méditation.

Si vous souffrez d'une maladie ou d'une douleur dans un endroit particulier de votre corps, essayez cette méditation. Prenez une position confortable, respirez plusieurs fois profondément, détendez complétement votre corps et votre esprit. Portez maintenant votre conscience à cet endroit et demandez-lui ce qu'il ressent et ce qu'il essaie de vous dire. Soyez alors réceptif pour sentir et écouter son message. Demandez à cette partie de votre corps ce dont vous avez besoin pour vous guérir. Accordez toute votre attention à ce qu'elle vous dira et obéissez-lui.

CHAPITRE XXI

# VOTRE CORPS EST PARFAIT

Pour avoir un beau corps, il faut commencer par suivre le flot naturel de son énergie. Ayez confiance en vous. Dormez autant que vous le désirez. Restez au lit s'il vous faut davantage de repos. Exprimez-vous physiquement de toutes les façons qui vous conviennent. Mangez ce que désire votre corps, et écoutez votre cœur. Si vous êtes prêt à vous fier à votre corps, vous découvrirez ce qui est le mieux pour vous.

Cela semble assez simple. On nous a hélas appris à nous méfier de notre corps et à considérer qu'il a besoin d'être contrôlé. Certaines religions disent même que l'esprit est bon et que le corps est mauvais, qu'il est un faible instrument du diable. Bien que nous ayons évolué au point de ne plus exprimer en général ouvertement ces croyances, nous conservons cependant une certaine méfiance à l'égard de notre corps. Notre culture nous a habitués à ignorer notre corps et ses besoins. Notre esprit le dirige. Nous décidons qu'un travail quotidien de neuf à cinq heures, accompagné de trois repas par jour, constitue une façon "correcte" de vivre, et nous nous attendons à ce que nos corps coopèrent, même si nous ne nous sentons pas bien. Nous avons aussi développé des théories intellectuelles sur ce qui est bon pour nous et ce qui ne l'est pas ; sur ce que nous devrions et ne devrions pas manger.

Enfant, nous adoptons en matière d'alimentation les règles et les habitudes de nos parents et de la société. Même si vous voulez prendre autre chose au diner, ou manger à une heure différente, vous êtes vraisemblablement censé vous conformer aux normes du système. Le corps vous dit une chose et la société une autre. Nous apprenons très tôt à nous défier de nous-mêmes. Cette méfiance est une cause de conflit et de déséquilibre en nous. Elle institue en outre un processus de rébellion dans notre corps. Nous nous révoltons, ayant soif de toutes sortes de choses que nous ne désirerions pas si notre nature n'était pas contrariée. Si nous ne pouvons pas savoir ce que nous voulons vraiment, nous réagissons en recherchant le premier excès à notre portée. Nos corps traduisent ce déséquilibre en prenant ou en perdant du poids, en développant des intoxications alimentaires et des allergies. Alors, pour résoudre ces problèmes, nous élaborons des projets rigides pour nos corps, aliments et régimes spéciaux, programme de repas spécifiques, restriction. Notre tête commence à dire à notre corps quoi et quand manger, selon le régime particulier que nous suivons à ce moment-là.

Il n'y a pas que le régime. les gens se font aussi des idées sur l'exercice. Certains croient que la seule façon de garder un poids idéal réside dans un régime et une gymnastique ennuyeuse et forcée. Notre société les y pousse, y trouvant son profit. On nous montre constamment à quoi devrait ressembler un beau corps, et on nous vend les moyens de l'obtenir. On nous vend des régimes, des pertes de poids miracle et des cures de santé. Nous malmenons constamment nos corps avec de nouvelles idées que nous avons sur leur santé. Le problème, avec les images extérieures et les "je devrais" que nous adaptons de notre société, réside dans le fait que nous sommes toujours mécontents soit de notre apparence, soit au niveau de ce que nous ressentons.

Commencer tout de suite à vous fier à vous-mêmes vous conduira vers un corps fort et sain. Abandonnez la lutte et cédez aux besoins de votre corps. Votre intuition vous dira ce qu'il faut manger. Elle peut vous amener à faire des exercices intenses (et dans ce cas, vous les ferez avec plaisir), ou elle peut vous dire de ralentir et de vous reposer. Elle peut vous dire de passer la journée au lit ou de vous lever tôt. Il n'y a pas de règles. Votre corps sait parfaitement ce qui est bon pour lui.

Les gens ont peur en général quand je leur suggère de se faire confiance et de suivre les besoins de leurs corps. Ils redoutent de rester au lit toute la journée, de manger du chocolat et de grossir. Ces craintes reposent sur des distorsions provoquées par toutes les règles extérieures imposées. Par réaction contre ces règles, il se peut que vous vous jetiez dans d'anciennes dépendances et envies pendant quelques jours, ou même quelques semaines, mais si vous vous montrez patient envers votre corps, vous découvrirez son fonctionnement naturel. Dès qu'il comprend qu'il peut manger ce qu'il veut, quand il veut, il se détend et commence à désirer la nourriture qui est bonne pour lui. A cause des distorsions, il se peut que votre intuition vous dise pendant quelque temps de vous abstenir de certains aliments, sachant que votre corps réagit par allergie ou par intoxication. Faites-vous confiance. De plus en plus, vous ressemblerez à votre esprit : vous serez vivant, plein d'énergie, jeune et beau. Votre corps trouvera son poids naturel.

**Affirmation de soi.**

L'important pour créer un corps parfait est d'apprendre à bien s'affirmer dans sa vie. J'ai découvert que les gens obèses entretiennent en général un schéma de doute d'eux-mêmes, ou de crainte de se fier à leurs sentiments et d'agir d'après eux. Ils ont tout spécialement besoin d'apprendre à dire "non" aux autres quand ils ne veulent pas faire quelque chose. Beaucoup de gens trop gros avec qui j'ai travaillé ne se définissent pas bien ; ils essaient de faire plaisir et de s'occuper des autres, les laissant les envahir et profiter d'eux. Ils utilisent par conséquent leur poids superflu comme tampon, pour créer une distance avec les autres.

Les femmes craignent en particulier qu'en devenant minces, elles seront trop attirantes sexuellement. Elles craignent de susciter une attention ou une énergie indésirées et n'ont pas confiance en elles pour les traiter de la manière adéquate. Certains ont peur d'être trop sensibles ou vulnérables et de ne pas savoir comment se protéger. D'autres, d'être trop "dans les nuages" ; ils se servent de leur poids pour garder les pieds sur terre. Si ces craintes sont vôtres, vous pouvez suivre éternellement des régimes sans jamais perdre de poids.

C'est pourquoi le processus de l'affirmation est si vital. En apprenant à soutenir vos sentiments par l'action, vous créez une force et une protection intérieures. Vous vous sentez en sécurité pour aller vers de nouvelles situations, attirer l'attention et l'énergie, en sachant que vous saurez dire "non" à tout ce qui ne vous conviendra pas. Vous savez que vous resterez fidèle à vous-même et que vous prendrez bien soin de vous. Votre femme intérieure se sent rassurée et aidée, sachant que votre homme intérieur la soutiendra.

D'après mon expérience, une fois que les gens ont appris l'affirmation, ils sont capables de perdre du poids facilement et naturellement, sans aucune sorte de privation. La circulation accrue de l'énergie dans leurs corps dissout les blocages et le poids superflu fond peu à peu. Ils n'en ont plus besoin pour se renforcer ou se protéger, aussi l'abandonnent-ils sans effort. Si un régime particulier est nécessaire, ils sentent intuitivement ce qu'ils ont besoin de manger, et trouvent agréable et justifié de le faire.

### Attente = excès de poids.

Si vous attendez toujours pour être, faire ou avoir ce que vous voulez, votre énergie se bloque et votre corps le reflète par un excès de poids. En vous exprimant directement et en faisant ce que vous voulez quand vous le voulez (c'est-à-dire en vous soutenant), l'énergie circulera librement dans votre corps, et cette circulation dissoudra l'excès de poids. Plus vous êtes désireux d'être vous-même, moins vous aurez besoin d'utiliser la nourriture comme substitut pour vous recharger ; vous serez naturellement rechargé par l'univers.

Vous soutenir, consiste à agir d'après vos sentiments et votre intuition. J'ai vu des gens perdre cinq ou sept kilos au cours d'un atelier de weed-end en faisant simplement quelque chose qu'ils n'osaient pas faire ou en exprimant des sentiments réprimés. En continuant ainsi, on dissout les blocages et le poids s'équilibre.

L'idée de se soutenir à chaque instant peut effrayer au début. Nous n'avons pas l'habitude d'affirmer ce que nous voulons et de nous mettre en action pour l'obtenir. Il nous faut faire un effort conscient pour percevoir ce que nous sentons et prendre le risque de le faire. Une fois lancés vous vous sentirez si bien que vous aurez envie de continuer. Vous perdrez du poids, vous aurez plus d'énergie, vous gagnerez en vitalité et en beauté. Vous ne risquerez pas de revenir en arrière. De l'autre côté, il y a l'engourdissement et la mort. Chaque fois que je suis ma voix intérieure, je sens plus de vie et d'énergie. Chaque fois que j'agis contre elle, je peux sentir une lutte dans mon corps, lourdeur et fatigue surviennent. Si je continue à ignorer ce que souhaite mon corps, je m'épuise de plus en plus. Le choix est simple : la vie ou la mort.

Vous pouvez avoir envie de vous joindre à un groupe de soutien qui vous encourage dans vos efforts. J'ai travaillé chaque semaine avec un groupe, explorant ce que signifie suivre son énergie et comment agir pour aider l'intuition. Nous avons appris à exprimer nos sentiments sur le moment et à nous nettoyer des blocages affectifs qui nous retiennent. Les gens du groupe ont changé physiquement. Certains ont perdu du poids. Nos corps ne peuvent pas entretenir un excès de poids quand l'énergie circule à travers eux en abondance.

Une de mes clientes avait environ quarante kilos en trop quand elle commença à travailler avec moi. Elle avait essayé tous les systèmes imaginables pour perdre du poids, mais n'avait pas réussi à résoudre son problème. En apprenant à se faire confiance et à prendre soin d'elle, elle commença à se guérir en exprimant ses sentiments refoulés. Le groupe hebdomadaire l'encouragea à s'exprimer directement et à dire ce qu'elle ressentait et ce qu'elle voulait. Elle prit confiance dans son corps et commença à manger seulement ce qu'elle voulait vraiment. Elle s'allégea physiquement et spirituellement et, au bout de quelques mois, elle avait perdu près de vingt kilos.

A ce stade, elle estima avoir tiré du groupe tout ce dont elle avait besoin et choisit d'arrêter, en dépit de l'excès pondéral important qui restait encore. A mon avis, elle retenait encore beaucoup de sentiments (son poids en était la preuve), et je l'encourageai donc à exprimer ce qu'elle "attendait" encore de dire. Elle avoua que trois des membres du groupes commençaient à l'incommoder et qu'elle ne se sentait pas à l'aise pour partager ses sentiments avec eux. Ils lui rappelaient des gens et des événements pénibles de son passé. Elle voyait en eux le reflet de son mari, de son fils et d'elle-même. Ils lui rappelaient des choses qu'elle n'avait pas dites ni faites. Ils lui rappelaient son auto-trahison. Pour cette raison, elle éprouvait de la colère chaque fois qu'elle les regardait.

Je l'encourageai à travailler en privé avec moi et, si elle voulait, à retourner ensuite dans le groupe et à exprimer ses sentiments aux membres du groupe. Il lui fallait dire ce qu'elle n'avait pas dit dans le passé. Elle le fit. Elle commença ainsi à se guérir de vieilles blessures affectives et à se pardonner son passé. Son énergie n'étant plus prisonnière du passé put donc circuler plus librement dans son corps. Elle a continué à perdre du poids sans régime.

J'ai vu ce phénomène se produire maintes et maintes fois. On peut perdre du poids sans se priver. C'est plutôt le contraire : on nourrit ses besoins intérieurs et on bénéficie d'une vitalité accrue.

Il n'y a pas de secret pour avoir un beau corps. Faites-vous simplement confiance et apprenez à suivre vos besoins naturels. Connectez-vous à votre intuition et honorez-la. Laissez circuler l'énergie en vous soutenant à chaque instant. Et, le plus important, aimez-vous et regardez-vous dès maintenant. Vous avez la beauté.

## La nourriture - frein.

Les gens utilisent la nourriture pour diminuer leur niveau naturel d'énergie. Si vous avez trop d'énergie nerveuse, vous l'utiliserez pour vous freiner, ou si vous sentez le besoin de vous remonter, vous l'utiliserez dans ce but. Dans les deux cas, la nourriture amène à une suppression partielle de votre véritable énergie.

En général, les gens ont peur de leur puissance et de leur énergie, aussi ressentent-ils le besoin d'en ralentir la circulation en eux. Les uns utilisent la nourriture, d'autres la drogue, l'alcool, les relations, le travail ou de nombreuses autres dépendances. A mesure qu'on désire éprouver et exprimer son énergie naturelle, on a moins besoin de nourriture.

### Abandon des croyances négatives.

La plupart d'entre nous entretiennent des croyances négatives à propos de leur corps et de leur nourriture. Il est important d'examiner ces croyances et de devenir plus conscients de ce que nous nous disons à nous-mêmes. Quand vous découvrez que vous êtes en train de vous dire quelque chose de négatif et de faux, vous pouvez en profiter pour transformer ces pensées en affirmations. (Pour les affirmations, voir le numéro cinq de la série d'exercices suivants). Quelques-unes de nos croyances négatives communes sont :

Tout ce qui a bon goût est mauvais pour moi.

Je ne peux manger qu'en petites quantités, sinon je vais prendre du poids.

Je ne peux pas avoir confiance en mon corps.

Mon corps a besoin d'être contrôlé.

Si je faisais ce que veut mon corps, je grossirais et/ou je tomberais malade.

Mon corps ne coopère pas avec moi.

Mon corps n'est pas comme il devrait être.

Je n'aurai jamais le poids que je veux.

Je dois être affamé et me battre pour que mon corps soit beau.

Les pensées négatives dont vous êtes conscient ne sont pas à l'origine des vrais problèmes, car elles sont en voie d'éclaircissement. Si vous en prenez conscience, il vous suffit de les transformer en affirmations pour vous aider à combattre la négativité qui envahit votre corps. Les croyances négatives auxquelles nous nous accrochons inconsciemment provoquent les expériences les plus négatives dans nos vies et nous empêchent de créer ce que nous voulons consciemment. Certains peuvent, par exemple, affirmer qu'ils sont minces tout en continuant à s'accrocher au besoin d'être gros. Il existe une croyance négative, sous le désir d'être mince, qui motive inconsciemment le corps. Il faut découvrir cette croyance, tout est là. Dès qu'une croyance est mise en évidence, elle perd son pouvoir.

Voici certaines des croyances négatives et des raisons de base qui empêchent les gens de perdre leur poids excessif : haine de soi et autopunition ; protection psychique : on se sent trop vulnérable et on utilise le poids pour avoir une couche protectrice ; peur d'être trop attirant pour le sexe opposé et d'avoir à faire face à sa propre sexualité et à celle des autres à son égard ; peur d'être trop beau et de trop attirer l'attention, ou d'avoir trop de pouvoir ; sentiment que poids égale force ; besoin profond d'amour ; peur d'exprimer sa créativité, en retenant littéralement l'énergie, ce qui crée le poids du corps ; peur d'affronter l'espace et le vide - le néant ; peur de réussir sa vie et ses relations ; peur d'abandonner ses problèmes.

Certaines de ces croyances peuvent vous concerner et d'autres non. Il vous faut trouver vos croyances négatives de base. Voici un procédé qui me paraît valable pour aborder cette question.

1. Prenez un crayon et un papier. Faites trois colonnes, et écrivez sur la première toutes vos croyances sur la nourriture et sur votre corps ; absolument toutes. Ecrivez tout ce qui vous vient à l'esprit, même si cela semble absurde ou sans rapport avec le problème. Continuez à écrire - mieux vaut plus que moins. Vos pensées conscientes et inconscientes ont ainsi une chance de se

manifester. En voici un court exemple : je n'atteindrai jamais le poids idéal. Je déteste mon corps. J'aimerais changer d'aspect. Je ne suis plus sexy. Je vais être aussi grosse que ma mère. Elle mangeait tout le temps des glaces, comme moi. La glace fait grossir. Manger me fait grossir. Il suffit que je m'approche de la nourriture pour prendre du poids. Je n'ai ni force ni volonté. La seule façon de maigrir, c'est de suivre un régime.

2. Examinez ces croyances. Dans la deuxième colonne, inscrivez si vous pouvez vous en souvenir, quand elles sont apparues pour la première fois. Vous viennent-elles de l'un de vos parents, d'un frère, d'une sœur, d'un professeur ou d'un ami ? Ne vous fatiguez pas à retrouver l'origine de toutes vos croyances, cherchez simplement pour celles qui vous affectent le plus profondément et observez les associations et les souvenirs qui font surface. Si d'autres souvenirs ressurgissent intérieurement, vous pouvez aussi les écrire dans la deuxième colonne. Je peux relier, par exemple, la déclaration : "Je n'atteindrai jamais le poids idéal", à ma mère. Dans la colonne deux, à côté de cette déclaration, j'écris : "J'ai vu que ma mère n'a jamais été capable de perdre du poids". Ou bien, à côté de la déclaration : "Je ne suis plus sexy", j'écris : "Tout le monde dit que la ligne fait la beauté, mes collègues, mes parents et les médias".

3. Passez vos croyances en revue. Identifiez celles qui ne vous servent plus. Demandez-vous ce qui vous empêche de les abandonner.

4. Quand vous avez identifié vos croyances négatives, l'étape suivante consiste à vous en délivrer. Rendez-vous compte que vous vous en êtes servi pendant des années. Remerciez-les, si vous le voulez, pour les services qu'elles vous ont rendus, et faites-leur savoir que vous désirez maintenant les abandonner. L'affirmation suivante peut vous aider. *Maintenant je suis prêt à lâcher prise.*

5. Dans la troisième colonne, créez une affirmation pour aller à l'encontre et corriger chaque croyance négative. Voici quelques lignes de conduite :

a) L'affirmation doit être courte, aussi simple que possible et chargée de sens pour vous.

b) Formulez-la au présent, comme si elle se réalisait déjà.

c) Il faut y inclure votre nom. Exemple : Moi, Shakti, j'ai un beau corps.

d) L'affirmation doit être directement liée à votre croyance négative et la transformer en croyance positive, potentialisante.

e) Vous devez ressentir votre affirmation comme tout à fait juste pour vous. Elle peut provoquer une forte émotion. Tant qu'elle n'est pas juste, continuez à chercher. Ensuite :

f) Méditez silencieusement cette affirmation en vous-même, en vous représentant que tout marche aussi parfaitement que vous le voulez.

g) Si vous avez un partenaire, demandez-lui de vous dire votre affirmation en se servant de votre nom et en vous regardant dans les yeux.

h) après qu'il ou elle l'ait dit, vous dites : "Oui, c'est vrai".

i) Ecrivez votre affirmation dix ou vingt fois par jour. Si des pensées négatives surviennent, écrivez-les au dos du papier, puis continuez à écrire l'affirmation sur le devant jusqu'à ce qu'elle soit claire. Exemples : *J'ai maintenant mon poids idéal. J'aime et j'accepte mon corps. Mon corps est parfait comme il est. Je suis belle et sexy. Je suis une femme (ou un homme) puissante et belle. Je suis libéré du passé. Je suis libre d'être moi-même. Il est bon pour moi de manger. Les aliments me nourrissent et me donnent de l'énergie. Chaque calorie que je mange est transformée en énergie. J'aime la nourriture. La nourriture m'aime. Je mange tout ce que je veux, quand je veux, et je conserve mon poids idéal.*

Ce procédé vous aidera à examiner vos croyances et prendre conscience de celles qui sont cachées. Vous pouvez utiliser ce procédé chaque fois que vous voulez vous débarrasser de la négativité qui vous empêche d'avoir un corps beau, fort et sain. Dès que vous serez débarrassé de cette négativité, votre corps commencera à vous paraître beau et tout ce que vous mangez, nourrissant.

**Appréciez votre corps.**

Appréciez dès aujourd'hui votre beauté et celle de votre corps. Concentrez-vous sur ce que vous aimez en vous. Plus vous le ferez, plus cela deviendra facile. Votre corps répondra à cette appréciation en embellissant toujours plus.

En général, nous cherchons ce qui ne va pas en nous et nous attendons la perfection pour commencer à nous aimer complètement. Vous pouvez changer ces litanies autocritiques en regardant ce qui vous plaît en vous et en vous rendant à vous-même un témoignage positif.

Si vous avez du mal à vous apprécier, commencez à regarder vos qualités chez d'autres qui les possèdent aussi et admirez-les.

Une de mes amies, qui pesait dix kilos de trop, se rabaissait continuellement à cause de sa silhouette. Il lui semblait ne pouvoir s'aimer que mince. Incapable de voir sa propre beauté, elle décida de commencer par regarder d'autres femmes, trop grosses comme elle, et d'apprendre à les apprécier. Elle découvrit comme ces "grosses" femmes étaient belles et les trouva sensuelles et vivantes. Elle se mit à complimenter les autres sur leur aspect physique. Ce faisant, elle put regarder son propre corps de façon différente. Elle commença à s'accepter et à s'apprécier. Son corps répondit à son approbation par plus de vie et d'énergie. Elle perdit progressivement ses kilos superflus et continue, depuis, à apprécier son corps tel qu'il est.

**Rituel pour aimer votre corps.**

Mettez-vous nu, debout, devant un grand miroir. Envoyez des pensées positives à toutes les parties de votre corps. Même si vous ne l'aimez pas ou si vous n'en appréciez pas certaines parties, cherchez ce qui est beau en chacune. Rendez-vous compte que votre corps vous a servi pendant des années. Remerciez-le pour ses services. Rendez-vous compte qu'il n'a fait que suivre vos ordres.

Vous pouvez par exemple vous dire : "Tu as de beaux che-

veux, épais et brillants". Regardez alors vos cheveux dans le miroir et voyez leur beauté, leur brillant, leur rayonnement. Même
s'ils ne brillent pas autant que vous l'aimeriez, continuez à vous
regarder et à vous apprécier en disant : "J'adore ton allure. Tu
as de belles mains. Tu as des jambes fortes et saines. Tu as le
teint clair. Tu as des yeux brillants".

Parcourez toutes les parties de votre corps de cette façon et
envoyez-leur vraiment de l'amour et de l'appréciation Trouvez le
moyen d'apprécier chacune. Et remerciez votre corps d'être avec
vous depuis toutes ces années, de suivre vos désirs et de vous
servir. Il a fait pour vous ce que vous lui avez demandé. Vous
pouvez, si vous le voulez, mettre une musique que vous aimez et
utiliser des bougies ou des fleurs pendant ce rituel. Accomplissez-
le une ou deux fois par jour pendant au moins une semaine. Il
montre à votre corps combien vous l'appréciez et le respectez.
Vous l'avez critiqué, jugé et rejeté pendant des années. Il répondra rapidement à l'amour et à l'énergie. Vous vous sentirez plus
léger et plus énergétisé. Vous embellirez. Les traits de votre visage se détendront. Vous commencerez à rayonner de force et de
santé. Vous serez étonné des résultats de l'amour pour votre
corps.

## Exercices de visualisation.

Dans *"Techniques de Visualisation Créatrice"*, j'ai recommandé
des techniques de visualisation pour embellir notre corps. Ce
sont de bons outils ; mes clients et mes lecteurs ont atteint de
merveilleux résultats grâce à eux. Je veux donc décrire deux
techniques que vous pouvez utiliser.

1. Chaque fois que vous pensez à votre corps, voyez-le comme vous voulez qu'il soit. Sachez que votre corps est parfait et
affirmez-le. Prenez quelques minutes dans la journée pour fermer les yeux et visualiser votre corps au poids, à la taille et à la
force que vous désirez. Imaginez-le puissant et plein d'énergie.
Voyez et sentez l'énergie qui circule en vous.

2. Utilisez une photo de revue pour vous aider à visualiser votre corps parfait. Choisissez la photo d'un corps qui montre de

quoi vous auriez l'air au mieux de votre forme, découpez-la et affichez-la sur le mur, à un endroit où vous la verrez tous les jours. Imaginez que c'est votre corps. Vous pouvez même coller une photo de votre visage sur celui du modèle pour que ce soit votre visage avec votre corps parfait.

## Méditation.

Assis ou couché dans une position confortable, respirez plusieurs fois profondément et détendez votre corps. A chaque expiration, laissez aller ce dont vous ne voulez plus ou n'avez plus besoin. Voyez chaque tension, frustration ou fatigue quitter votre corps. En inspirant, absorbez tout ce que vous voulez ou désirez : la relaxation, la sérénité, la force, la prospérité et la joie.

De cet endroit détendu et régénéré, regardez votre corps en face de vous. Imaginez-le ressemblant exactement à ce que vous voulez. Observez-en autant de détails que possible. Vous avez maintenant la taille, la silhouette et le poids parfaits. Votre corps est énergique, fort et puissant. Regardez maintenant votre visage et votre corps, voyez votre beauté. Vous ressemblez exactement à ce que vous voulez être. Vous vous sentez exactement comme vous voulez vous sentir.

Vous pouvez éprouver ce qu'est d'avoir un corps qui soutient votre esprit. Votre esprit dit : "Fais ceci" et votre corps, dans toute sa perfection, est là pour accomplir votre vision intérieure.

Vous êtes la beauté, la force et l'énergie.

## Exercice.

1. Dressez la liste de tout ce que vous sentez en attente en vous. Qu'est-ce que vous attendez de dire, de faire, d'avoir ou d'obtenir ?

2. A côté de chaque point de votre liste, notez comment vous pouvez passer à l'action. Que pouvez-vous faire pour changer l'attente en dire, en faire ou en avoir de ce que vous voulez maintenant ?

# CHAPITRE XXII

# VIE ET MORT

Vivre, c'est choisir de suivre le cours de l'énergie en nous. Mourir, c'est choisir de bloquer ou d'aller contre cette énergie vitale. Nous nous trouvons face à ce choix de vie ou de mort à chaque instant de notre existence.

Chaque fois que nous choisissons de suivre et de nous fier à notre intuition, notre canal s'ouvre plus et la force vitale y circule davantage. Les cellules de notre corps reçoivent réellement plus d'énergie, elles se renouvellent et se revitalisent plus vite. Nous nous sentons physiquement, émotionnellement et mentalement plus vivants et notre lumière spirituelle passe davantage. Notre corps reste jeune, sain et beau, et rayonne de vitalité.

Quand nous choisissons de ne pas suivre les incitations de notre intuition, nous fermons notre canal et nos cellules reçoivent moins d'énergie. Le corps se dégrade plus vite. Quand nous ne suivons pas le cours de l'énergie, la vie devient une lutte. La tension et le surmenage prélèvent leur tribut sur la forme physique et nous pouvons voir la lutte sur nos visages et sur nos corps. Des rides d'inquiétude se forment et le corps commence à se voûter sous le poids de ses efforts. Si nous continuons à choisir de fermer la porte à l'énergie instant après instant, jour après jour, année après année, le corps va vers la vieillesse, la détérioration et finalement la mort. Si nous changeons de schéma en commençant à plus nous fier à nous-mêmes, le corps commencera à se régénérer.

Une partie de nous veut la vie, veut s'engager à vivre, elle désire faire confiance à notre intuition et la suivre à chaque instant. Il y a aussi une partie de nous qui n'a pas confiance : "Je ne peux pas faire ceci, c'est trop, trop intense, je ne veux pas me laisser aller". Quand nous nous contrecarrons, nous avons pour seule expérience celle de l'effort et de la lutte ; quand nous nous abandonnons à la vie, tout coule, nous avons l'ardeur, la vitalité.

Une personne qui meurt, choisit toujours inconsciemment de quitter ce corps physique. On peut croire qu'elle est victime d'un accident ou d'une maladie mortelle, mais elle est responsable de son propre voyage. Son esprit sait ce qu'il fait, même si le corps le refuse. Quand on commence à y croire, on commence aussi à le sentir télépathiquement. En s'approchant de quelqu'un qui meurt, on peut sentir qu'il fait un choix.

Soit les gens viennent pour accomplir un objectif particulier et ils s'en vont quand ils l'ont accompli, soit, n'ayant pas réussi à l'accomplir, ils décident de recommencer sur ce plan ou dans un autre. Certains êtres se sentent bloqués, rien ne fonctionne. Ils n'apprennent pas assez vite. "Cette vie a commencé avec trop d'aspects négatifs contre moi. Je ne veux plus les subir. Je préfère recommencer".

En faisant consciemment le choix de vivre, vous influencez le choix de ceux qui vous entourent. Si vous choisissez à chaque instant de vous fier à votre intuition et d'agir d'après elle, vous choisissez la vie au lieu de la mort, et vous augmentez la vitalité qui rayonne de vous. Tous ceux qui sont reliés à vous ressentiront ceci et cela renforcera leur choix de vivre.

Plus nous choisissons de vivre dans la lumière, plus notre corps devient sain. En vivant comme des canaux pour l'univers, je crois que nous retardons, ou peut-être même nous arrêtons, le processus du vieillissement tel que nous le connaissons. Il est possible, selon moi, de devenir plus énergique, plus vivant et plus beau tout en vieillissant, plutôt que le contraire. Nous ne quitterons plus nos corps inconsciemment, par accident ou par maladie. Nous resterons dans le corps physique aussi longtemps que nous le désirerons et nous ferons consciemment le choix de le quitter aussitôt que nous désirerons passer à autre chose. La mort, si et quand nous la choisirons, ne sera pas une tragédie, mais une transition consciente vers un autre plan.

## Méditation.

Assis ou couché dans une position confortable, fermez les yeux. Respirez plusieurs fois profondément et détendez votre corps. A chaque respiration, laissez tout aller, de façon à être avec vous-même. Détendez-vous lentement à cet endroit au cœur de vous-même.

Souvenez-vous d'une situation récente où vous avez choisi de ne pas suivre votre énergie ; où vous n'avez pas fait ce que vous vouliez faire. Rejouez mentalement cette scène. Voyez que vous alliez à l'encontre de ce que vous saviez être votre vérité. Remarquez ensuite comment vous vous sentiez. Regardez votre corps et rappelez-vous comment vous étiez physiquement, émotionnellement et spirituellement.

Remettez-vous maintenant dans la même situation et regardez-vous faisant exactement ce que vous vouliez ; regardez-vous choisir de suivre l'énergie. Remarquez alors comment se sent votre corps, et remarquez comment vous êtes et ce que vous éprouvez. Passez quelques minutes à sentir ce qu'est avoir confiance en soi et faire ce que l'on veut.

## Exercice.

Cet exercice vous aidera à prendre conscience de votre choix de vie ou de mort.

Faites un journal de quelques-unes des décisions que vous avez prises pendant la journée. Notez quand vous avez fait ce que vous vouliez et quand vous avez choisi de ne pas le faire. (Remarquez par exemple si vous choisissez de vous rendre à une soirée quand vous voulez en réalité rester chez vous). Ecrivez ensuite comment vous ressentez les choix que vous avez fait. Comment vous êtes-vous senti physiquement et émotionnellement.

En devenant plus conscient des moments où vous suivez votre énergie et de ceux où vous allez contre elle, et des conséquences, vous choisirez de plus en plus la vie et la vitalité à chaque instant.

# CHAPITRE XXIII

# TRANSFORMONS NOTRE MONDE

La transformation commence au niveau individuel, puis gagne le monde. Plus j'apprends à croire en mon intuition et à agir d'après elle, plus j'accepte d'éprouver et d'admettre tous mes sentiments, et plus l'énergie de l'univers peut circuler en moi. En circulant en moi, elle me guérit et me transforme, ainsi que tous et tout autour de moi.

Cela est vrai pour chacun de nous. Plus vous êtes prêt à faire confiance et à être vous-même et plus vous vivez dans la lumière. Tous, ceux qui vous entourent profitent de votre énergie et commencent à être confiants et à être plus eux-mêmes. A leur tour, ils deviennent de puissants canaux pour tous ceux qui sont dans leur sphère d'influence. Ainsi la transformation s'étend rapidement à travers le monde.

Vous avez peut-être entendu parler du syndrome du centième singe. En 1952, au Japon, des scientifiques étudiaient le comportement des singes sauvages. La nourriture principale de ces singes était constituée de patates douces. Ils virent un jour une guenon en train de faire quelque chose qu'ils n'avaient jamais remarqué auparavant - elle lavait sa pomme de terre avant de la manger. Elle répéta ce geste au cours des jours suivants et bientôt, d'autres singes se mirent à laver leur pomme de terre avant de la manger, puis de plus en plus. En 1958, alors que tous les singes de l'île avaient adopté ce nouveau comportement, les scientifiques des îles proches commencèrent à rapporter que les singes de leur île commençaient *aussi* à laver leurs pommes de terre. Il n'y avait pas de contact physique entre les îles et personne n'avait transporté de singe d'une île sur l'autre.

Cette histoire illustre un phénomène d'une importance primordiale pour la race humaine et pour notre planète. Laver les pommes de terre était un niveau de conscience nouveau pour ces singes et, quands ils furent assez nombreux à l'avoir accepté, il fut apparement transmis aux singes des îles environnantes sans aucun contact physique et sans communication directe.

Je crois que la conscience évolue de cette façon. La conscience de chaque individu est reliée et fait partie de la conscience collective. Quand un nombre d'individus, petit mais suffisant, est passé à un nouveau niveau de conscience et a changé son comportement de façon significative, ce changement est ressenti par toute la conscience collective. Tous les autres individus sont alors orientés dans la direction de ce changement, alors que toute l'affaire peut avoir commencé avec un seul individu qui a été le premier à faire le saut.

Bien souvent, nous regardons le monde qui nous entoure et nous nous sentons terriblement impuissants pour réaliser le moindre changement positif valable. Le monde semble si grand et dans un tel chaos, et nous nous sentons si petits et si impuissants. L'histoire du centième singe nous aide à voir combien un seul ou quelques individus peuvent être puissants pour transformer le monde.

Le monde étant vraiment notre miroir, si nous changeons, il doit changer. Vous pouvez le constater facilement dans votre vie personnelle. En développant l'habitude d'avoir confiance et de prendre soin de vous, vous relâcherez peu à peu vos anciens schémas. Vous remarquerez bientôt que vos amis, votre famille et vos collègues de travail ont l'air de se sentir différents et d'agir de même. Les gens que vous rencontrez semblent avoir affaire à des problèmes moins sérieux (ou bien, si leurs problèmes sont sérieux, ils en trouvent la solution plus vite). Les choses qui auparavant vous effrayaient et vous bouleversaient, semblent avoir perdu leur "charge" émotive. Même les problèmes mondiaux graves, tout en vous concernant toujours, peuvent ne pas vous sembler aussi effrayants qu'auparavant.

La raison de ce changement, c'est que vous commencez à *sentir* en vous la puissance de l'univers. *Plus vous ressentez la présence de l'univers dans votre propre corps, moins vous avez peur.* Bien sûr, chaque fois que vous vous ouvrez à plus de puissance, plus les anciennes peurs montent à la surface pour être abandonnées et donc, dans le processus de guérison, vous éprouvez alternativement la puissance et la peur. Cependant, petit à petit, une base solide de confiance s'établira en vous. Les autres le ressentiront et y trouveront le soutien pour s'ouvrir davantage à leur propre puissance et à leur propre vérité. Les gens et les choses autour de vous vous reflètent de façon toujours plus positive. Plus vous laissez entrer en vous de lumière et plus le monde dans lequel vous vivez sera lumineux.

### Créer le changement.

J'ai fréquemment rencontré l'idée, en particulier chez les gens tournés vers la spiritualité, que nous n'avons rien d'autre à faire pour changer le monde, que de penser plus positivement et de visualiser les changements que nous désirons. La visualisation et l'affirmation sont des outils puissants. Je les utilise souvent et je les recommande fermement comme faisant partie de ce processus (d'ailleurs j'ai écrit : "Techniques de Visualisation Créatrice" et je crois profondément à l'efficacité des techniques qui y sont décrites). Il y a toutefois une autre partie importante du processus, souvent ignorée et pourtant tout aussi importante.

Si le monde est un miroir, alors tout ce que nous voyons au dehors est en quelque sorte le reflet de ce qui est en nous. Il nous faut en prendre la responsabilité et être désireux de le transformer *au-dedans de nous,* si nous voulons le voir changer à l'extérieur. Aussi, quand nous regardons le monde et que nous voyons la pauvreté, la souffrance, la violence et le chaos, nous devons accepter de nous dire : "Quelle est donc la pauvreté, la souffrance, la violence et le chaos en moi qui sont reflétés ici ? Je sais que le monde est mon miroir et, dans un sens, ma création. Si ce que je vois n'était pas en moi, cela n'existerait pas dans mon monde".

Le piège est de se sentir *coupable* ou *responsable* des problèmes du monde. Aucun de nous n'est vraiment responsable de la vie des autres ; nous sommes tous des co-créateurs du monde. Et nous faisons tous de notre mieux. Nous sommes ici pour apprendre et nous devons tirer un enseignement de ce qui n'est pas parfait, plutôt que de nous culpabiliser. Il nous faut adopter une attitude responsable et dire : "Je suis désireux d'apprendre à croire et à suivre ma propre vérité intérieure, sachant qu'en le faisant, je me délivrerai de la souffrance et de la peur en moi et que, par conséquent, je guérirai la peur et la souffrance dans le monde".

Faire ce vœu est très puissant, et le suivre jusqu'au bout n'est pas tâche facile. Cela nous amène à accepter de traverser les couches les plus profondes de notre conscience et à reconnaître non seulement nos peurs personnelles, mais encore les vieilles croyances séculaires négatives de l'humanité qui existent dans nos corps. Pour traverser ces couches, il nous faut être désireux de reconnaître et d'éprouver toutes les peurs, en sachant que la lumière les guérit et les dissout.

Quand les gens me demandent ce qu'ils peuvent faire pour les problème du monde, je leur suggère en général de commencer par reconnaître et affirmer que s'ils font sincèrement leur propre travail intérieur, le monde en sera transformé. Je leur dis de regarder les problèmes sociaux qui les effraient ou les perturbent et de déterminer quelle peur ou souffrance ils touchent en eux et comment ils reflètent leur situation personnelle.

Si, par exemple, ils sont perturbés par la violence, je leur demande de regarder le rôle que la violence a joué dans leur vie. Est-ce que quelqu'un a été violent envers eux dans leur enfance ? Ont-ils eu des pensées ou des sentiments violents ? Ont-ils réprimé, se sont-ils coupés de leurs propres sentiments violents ? De quelle façon se sont-ils fait violence intérieurement (en se critiquant durement, etc.) ?

Je me suis rendu compte que nous sommes nombreux à avoir besoin d'aide, sous la forme de thérapie de soutien, ou de conseil, quand nous abordons les niveaux profonds de la guérison émotionnelle. Certains montrent de la réticence à rechercher cette forme d'aide, peut-être parce qu'ils craignent de passer pour fous ou malades. J'ai personnellement fait appel à différents types de thérapies, à diverses époques de ma vie, et cela m'a grandement aidé, tant que je me suis fiée à mon intuition pour choisir avec qui travailler, quand arrêter, etc...

Si vous vous sentez profondément touché par la pauvreté dans laquelle vit une grande partie de la population mondiale, vous serez peut-être tenté de faire un geste à l'extérieur (donner de l'argent, accomplir un travail social ou politique). En même temps, regardez en vous pour voir comment vous croyez et vous soutenez la pauvreté ou le besoin dans votre propre vie. Ce n'est peut-être pas une question d'argent - il se peut que vous viviez dans une forme de pauvreté affective ou spirituelle, tout en étant entouré de luxe matériel. Ou bien vous pouvez être spirituellement et émotionnellement en paix et être attaché à la croyance que l'argent est mauvais, ce qui vous maintient bien sûr dans un état de pauvreté financière.

La pauvreté à la fois au niveau personnel et mondial, est entretenue par notre croyance en la pénurie. Nous croyons profondément *qu'il n'y a pas assez* de ce dont nous avons besoin - argent, nourriture, amour, énergie, appréciation. Nous créons donc un monde qui soutient cette croyance. Des études ont été faites pour montrer qu'il y a assez de nourriture produite sur la planète pour nourrir amplement tout le monde. Mais à cause de notre croyance sous-jacente en la pauvreté, nous permettons que d'un côté on jette la nourriture pendant qu'ailleurs, des millions d'êtres meurent de faim.

Si vous vous sentez concerné par des questions d'environnement, prenez ce point de vue en considération. La nature mère est le symbole de notre aspect féminin nourricier. Le manque de respect et d'harmonie vis-à-vis de la nature est seulement possible dans une société d'individus qui manquent d'égard et de respect envers leur propre nature féminine intuitive. Si vous êtes en accord avec votre guide intérieur, il n'y a pas de raison pour que vous soyez gravement en désaccord avec votre environnement naturel.

Tout comme nos corps sont la manifestation de notre conscience dans la forme physique, la Terre est la manifestation de notre conscience collective. Dans un sens, la Terre est notre "corps" collectif. La façon dont nous la traitons reflète la façon dont nous traitons nos corps.

Le manque de respect et d'harmonisation avec notre corps est démontré au niveau global par la façon dont nous traitons notre Terre. Si nous apprenons à aimer notre corps et à lui faire confiance ; à écouter ses signaux ; à lui donner le repos, la nourriture et la recharge dont il a besoin ; à arrêter de le polluer par des drogues et des aliments dénaturés ; à cesser de vouloir le contrôler avec nos idées de ce qui est juste, je ne crois pas que nous pourrons continuer à maltraiter notre "Corps-Terre".

Il nous faut être désireux de reconnaître et de guérir toute forme de violence, de pauvreté et de déséquilibre en nous-mêmes en tant qu'individus, si nous espérons rayer ces problèmes de la surface de la terre. La guérison n'aura pas lieu au niveau personnel ni planétaire, tant que nous cacherons ou refuserons nos sentiments. Tous les sentiments, les croyances et les schémas émotionnels doivent être portés à la lumière de la conscience pour pouvoir se dissoudre. Quand la lumière brille dans le noir, le noir disparaît.

### Guérison du monde.

On parle souvent de la gravité de la situation mondiale. Dans bien des domaines, les choses semblent aller de mal en pis, et cela peut faire peur.

Il m'a été très utile de reconnaître que le monde est en train de traverser une crise majeure de guérison, très semblable dans sa forme à l'expérience des individus.

Quand, en tant qu'individus, nous commençons à nous éveiller à la lumière, nous commençons aussi à prendre conscience de l'obscurité dans laquelle nous avons vécu. Les modèles de vie qui nous semblaient auparavant "normaux" commencent à nous paraître de plus en plus fous, du point de vue de notre bon sens nouvellement acquis. Les peurs et les distorsions que nous avions refusées et ignorées parce qu'elles étaient trop pénibles à voir, commencent à arriver à notre conscience pour être abandonnées. Les problèmes que l'on cachait ressortent pour être résolus.

Je vois le même phénomène se produire aujourd'hui au niveau mondial ; si nous reconnaissons cette apparence de chaos et de souffrance dans le monde comme une manifestation géante de notre processus de guérison individuel, nous pouvons voir qu'il s'agit d'une étape très positive. Plutôt que de nous en sentir victimes, nous pouvons y reconnaître la puissance de l'univers au travail. Nous nous apprécions alors comme des canaux à travers lesquels la guérison du monde se manifeste. À l'heure actuelle, plus nous vivons dans la lumière, plus nous voyons l'obscurité. Plus nous acceptons ces polarités en nous, plus vite le monde sera guéri.

**Action sociale et politique.**

Entendant ces idées, certains se mettent en colère. Ils croient que j'adopte une attitude d'auto-absorption narcissique qui nie les problèmes du monde et rejette la nécessité de l'action politique et sociale. En allant plus loin dans la discussion, je peux en général (mais pas toujours !) leur faire comprendre que ce n'est pas le cas. Vouloir traiter intérieurement et individuellement l'origine et la source du problème est simplement la façon la plus pratique et la plus efficace d'effectuer un vrai changement. Il n'exclut pas la nécessité d'une action extérieure à plus large échelle.

Pour moi, tout réside dans la source et la motivation pour cette action. Je découvre que les gens agissent souvent selon leurs propres idées du bien plus que par l'univers en eux. Ils sont souvent motivés par leurs sentiments de souffrance, de peur et de culpabilité qui les poussent à "améliorer les choses". C'est l'ego, dans une position d'impuissance et de peur, qui se bat en vain pour faire quelque chose afin de chasser ces sentiments. Malheureusement, cette approche ne fait que perpétuer le problème qu'elle essaie de résoudre.

La cause sous-jacente des problèmes du monde est la souffrance, la peur et l'ignorance dont nous faisons l'expérience en étant déconnectés de la puissance de l'univers. Si nous continuons à projeter nos problèmes en dehors de nous-mêmes, et si nous ne parvenons pas à connaître la puissance intérieure que nous possédons réellement, je crois que nous soutiendrons les maux mêmes que nous combattrons.

A l'opposé, si nous sommes prêts à prendre la responsabilité de nos peurs et à leur faire face, nous dégagerons le passage pour être capables d'entendre la voix de l'univers en nous. Si elle nous dit d'agir, nous pouvons être sûrs que l'action sera puissante et vraiment efficace.

Exemple : une de mes amies devint très active dans le mouvement de désarmement nucléaire. Quand elle me parla du problème et de ses activités, il me parut évident qu'elle était absolument terrifiée par la possibilité d'une guerre nucléaire. Il s'agit d'une réaction tout à fait normale étant donné la démence de la course aux armements. Mais le problème, tel que je le perçus, résidait dans le fait qu'elle ne reconnaissait pas sa propre terreur et les problèmes d'impuissance et de mort avec lesquels elle se débattait intérieurement. Ses actions et ses paroles étaient donc entachées d'une sorte de panique, évoquant presque une personne en train de se noyer et cherchant en vain à s'accrocher à quelque chose.

Petit à petit, sur plusieurs années, je la vis dépasser cette phase de son processus. Je crois qu'elle atteignit un plus haut niveau de confiance en l'univers. Elle a continué son activité antinucléaire parce qu'elle y croyait profondément et y trouvait d'immenses satisfactions, mais son énergie était assez différente. Il y avait dans son engagement une puissance et une force qui l'ont rendue plus efficace dans sa tâche, j'en suis certaine.

Les mêmes principes se vérifient dans l'arène politique et sociale, et dans tous les autres domaines de la vie ; si vous faites ce que vous pensez "devoir" faire, si vous êtes essentiellement motivé par la peur et la culpabilité, alors peu importe si vos actions sont bonnes, vous n'êtes probablement pas aussi efficace que vous le voudriez, et peut-être même créez-vous plus de problèmes que vous n'aidez à en résoudre.

A l'opposé, si vous faites confiance à votre intuition et si vous écoutez votre cœur - en allant là où vous emmène votre énergie et en faisant ce que vous voulez vraiment faire - vous verrez toutes vos actions avoir un effet positif pour changer le monde. Vous en reconnaîtrez la nature transformatrice. Pour beaucoup, il s'agira d'action directement sociale et politique, et vous le ferez parce que cela vous plaît ! Votre entourage sera lui aussi touché par votre énergie et votre vitalité, plus encore que par vos paroles et vos actions.

Pour l'instant, mon guide intérieur me dit que vivre ma vie comme je le fais - écrire des livres, animer des ateliers, explorer ma créativité, être moi-même - est ce que j'ai personnellement besoin de faire pour réaliser le maximum de changements dans ma vie et dans le monde. J'ai aussi eu le fort sentiment qu'un jour peut-être, je serai activement engagée dans la politique (comme précédemment dans ma vie) - en occupant même peut-être un poste politique de quelque sorte ! Je sais que si je suis destinée à le faire, je le vivrai comme une aventure passionnante. Je suis curieuse de savoir ce que l'univers me réserve.

## Les médias.

Mon guide intérieur m'informa une fois que la télévision serait le sauveur du monde ! Je résistai à cette idée car je ne suis pas une fanatique de la télévision. Toutefois j'ai admis qu'en dépit de l'inconscience et de la stupidité des programmes de notre époque, la télévision est de toute évidence un outil extraordinairement puissant pour atteindre des millions de gens instantanément. Je ne pense pas qu'elle soit apparue par hasard en ce siècle dans le monde, ni qu'elle se trouvera bientôt dans presque tous les foyers du monde.

Bien qu'elle soit en général contrôlée principalement par des gens dont la conscience est totalement prisonnière du monde ancien, il y a cependant des flashes occasionnels de lumière. Ce n'est qu'une question de temps, jusqu'à ce que la conscience du monde nouveau commence à pénétrer les programmes de télévision de façon régulière et significative.

La télévision est sans aucun doute un outil éducatif majeur. Dirigée par l'univers, elle peut devenir littéralement "canal". Elle fournit un réseau pour atteindre instantanément la majorité de la population du monde avec de nouvelles idées positives.

Pouvez-vous imaginer une femme au foyer qui regarde un feuilleton dans lequel les gens traversent tous les drames humains ordinaires, mais où, au lieu du désespoir et de la détresse habituels, le comportement est d'apprendre et de grandir à travers les changements de la vie ? Ce pourrait être très divertissant, avec tout le sexe et le romantisme ordinaire, la naissance et la mort, la drogue et la maladie, le mariage et le divorce, mais les personnages utiliseraient leurs épreuves et leurs tribulations de façon positive pour évoluer dans la conscience, comme nous apprenons à le faire. Une fois que les mères de famille auraient compris, il est certain que les enfants et les maris comprendraient aussi très vite !

Il est évident que le pouvoir des médias - radio, journaux, revues, livres et télévision - est sans rival pour promouvoir un changement rapide dès que notre conscience collective sera prête pour franchir ce pas.

**Un processus de guérison personnelle et planétaire en cinq étapes.**

1. Affirmez en vous-même : *le pouvoir de l'univers me guérit et me transforme. Quand je guéris et me transforme, c'est le monde entier qui est guéri et transformé.*

2. Soyez attentif aux problèmes sociaux, politiques et écologiques autour de vous. Arrêtez-vous particulièrement à ceux qui déclenchent en vous une réaction émotionnelle. Demandez à

voir comment ils reflètent éventuellement vos problèmes personnels, vos peurs, vos croyances et vos schémas. Il se peut que
vous ne voyiez pas de lien immédiat, mais restez ouvert pour recevoir cette information par votre canal intuitif.

3. Demandez à la lumière de l'univers de vous libérer et de
vous guérir, ainsi que le monde de toute l'obscurité de l'ignorance, la peur et la limitation qui sont en vous. Soyez ouvert à toute
instruction intérieure que vous pourrez recevoir, pour chercher
de l'aide dans votre processus de guérison auprès d'un conseiller
ou d'un thérapeute, des amis, dans un atelier ou un groupe, ou
sous toute autre forme.

4. Visualisez régulièrement votre vie et le monde comme vous
voudriez qu'ils soient (Voyez la méditation à la fin de ce chapitre).

5. Demandez à votre guide intérieur de vous faire savoir clairement s'il souhaite que vous entrepreniez une action spécifique
pour votre guérison ou celle du monde. Continuez ensuite à
vous fier et à suivre votre intuition, sachant qu'elle vous mènera
à tout ce qui est nécessaire.

**Processus pour les croyances négatives de base.**

Ce processus cherche les croyances sous-jacentes négatives
dans toute situation donnée de votre vie. Une fois que vous êtes
désireux de les regarder en face, vous pouvez commencer à les
dissoudre et à les transformer par des affirmations.

Vous pouvez le faire soit seul, soit avec un partenaire. Si vous
êtes seul, écrivez les réponses aux questions. Si vous êtes avec
quelqu'un, formulez vos réponses à cette personne. L'un répond
à toutes les questions pendant que l'autre écoute, puis vous
changez de rôle.

1. Commencez par fermer les yeux. Respirez profondément et,
en expirant, détendez votre corps. Respirez encore profondément
et, en expirant détendez votre esprit. Respirez encore et, en expirant rentrez dans un endroit très profond et tranquille en vous.

Prenez conscience que vous êtes co-créateur avec l'univers. Vous pouvez choisir ce que vous croyez, ce que vous créez et ce que vous éprouvez dans votre vie. Vous pouvez choisir de devenir conscient des anciennes croyances et des attitudes qui vous limitent. Puis, vous pouvez les abandonner et adopter des croyances et des attitudes qui vous aideront à mieux exprimer votre vrai moi.

2. Prenez un problème particulier ou un domaine de votre vie sur lequel vous voulez travailler, quelque chose qui, par exemple, vous bloque en termes de croyance et de peur. Ouvrez les yeux et prenez environ deux minutes pour décrire à votre partenaire (ou écrire) la question sur laquelle vous voulez travailler.

3. Décrivez les différentes pensées que le problème suscite à votre esprit. Quels leit-motivs reviennent dans votre esprit ? Par exemple, quels sont les pour et les contre de cette situation particulière ? Quelles sont vos inquiétudes, vos craintes et votre programmation à ce sujet ? Qu'est-ce qui vous passe par la tête ?

4. Quand vous pensez à ce problème, que ressentez-vous émotionnellement ? Exemple : Je me sens triste, en colère, exalté, fustré ou heureux.

5. Quand vous prenez conscience des émotions que suscite ce problème, que ressentez-vous dans votre corps ? Remarquez-vous un endroit crispé ou tendu ? Y a-t-il un endroit où vous sentez des palpitations, des fourmis ou de la nervosité ? Comment ressentez-vous votre corps physique en rapport avec ces émotions ?

6. Décrivez la pire chose qui puisse arriver si votre plus grande peur se vérifiait. Que serait-ce ? Et si votre plus grande peur se vérifiant, pourrait-il arriver de pire ensuite ? Et ensuite, quelle serait la pire des choses qui puisse se produire, la pire de toutes les pires ?

Fermez les yeux et affrontez votre pire crainte. Donnez-vous une chance de la vivre, d'être dans le même espace qu'elle ; au lieu de vous enfuir, ressentez-la. A-t-elle beaucoup de pouvoir sur vous ? Pouvez-vous presque rire ou avez-vous vraiment peur ?

Demandez maintenant de l'aide à l'univers. Prenez votre peur et donnez-la à l'univers, donnez-la à votre moi supérieur. Demandez de l'aide, de la détermination, de la force, de, la sagesse ou tout ce dont vous avez besoin pour vous en libérer. Respirez profondément. En expirant, sentez que vous lâchez prise. Quand vous êtes prêt, ouvrez les yeux et décrivez ce que vous venez de vivre.

7. Allons maintenant dans la direction inverse : que pourrait-il vous arriver de mieux ? Que voulez-vous vraiment ? Quelle serait la scène idéale dans cette situation ? Décrivez-la exactement comme vous voudriez qu'elle soit. Puis fermez les yeux et détendez-vous. Imaginez que tout se déroule exactement comme vous le voulez. Comment vous sentez-vous ? Essayez votre scène idéale pour voir si elle vous convient, puis mettez-la dans une belle bulle rose. Cela fait, regardez-vous la lancer en l'air. Vous êtes en train de lâcher votre bulle rose contenant votre scène idéale sur l'univers. Elle est vraiment libre d'attirer ce dont elle a besoin pour arriver à la manifestation.

8. Quand vous ouvrez les yeux, demandez-vous quelle croyance négative ou quelle peur vous a empêché de créer ce que vous voulez. Quelle est votre pensée la plus négative ou votre plus grande peur dans ce domaine particulier de votre vie ? Par exemple : "Je ne peux pas avoir ce que je veux", "Je ne vaux rien", ou "personne ne m'aime". Une fois que vous avez déterminé vos croyances négatives, écrivez-les.

9. Vous pouvez maintenant transformer vos croyances négatives en affirmations. Voir le chapitre "Votre corps est parfait" pour des instruction sur les affirmations écrites. Ecrivez ou dites votre affirmation régulièrement jusqu'à ce qu'elle devienne réelle pour vous.

**Méditation.**

Assis ou couché dans une position confortable, respirez plusieurs fois profondément et détendez votre corps. Sentez que vous entrez en un endroit profond et tranquille au-dedans de vous. Sentez que vous faites le contact avec cet endroit de puissance et de créativité, votre source de force.

A partir de cette source de force, projetez-vous dans le futur, un mois, six mois, quelques années ou plus, et voyez-vous dans cette projection exactement de la façon dont vous voulez être. Vous êtes le créateur de votre univers et votre vie est comme vous l'avez voulue.

Commencez par remarquer comment vous vous sentez spirituellement et émotionnellement. Sentez la force et la puissance en vous. Vous vous fiez à votre intuition et vous agissez d'après votre guide intérieur. Ainsi les miracles se succèdent autour de vous.

Voyez votre corps. De quoi avez-vous l'air et comment vous sentez-vous physiquement ? Vous avez maintenant un corps en harmonie avec votre esprit - fort, courageux, beau, plein de vie et d'énergie. Que ressentez-vous alors ?

Comment prenez-vous soin de votre corps ? Que mangez-vous et comment vous rechargez-vous ?

Remarquez comment vous vous habillez. Voyez-vous vêtu exactement de la façon dont vous voulez être habillé. Vos vêtements vous vont à merveille. Quand vous ouvrez vos armoires et vos tiroirs, vous y trouvez juste les vêtements que vous voulez.

A quoi ressemble votre maison ? Voyez-vous vivre exactement là où vous le désirez. Vous avez créé l'environnement que vous voulez. Voyez-vous en ce lieu. Sentez ce qu'est vivre d'une façon qui vous convient parfaitemant. Vous avez peut-être plusieurs maisons dans différents endroits du pays, ou à travers le monde. Soyez dans toutes.

Vous avez trouvé le travail idéal et le débouché créatif. Vous recevez de l'argent en abondance en faisant ce que vous aimez le plus. Voyez-vous vous exprimer d'une façon qui vous apporte la joie.

Regardez ensuite les gens dans votre vie. Vous avez maintenant des relations qui sont vivantes, passionnantes et créatrices.
Les gens vous aiment et vous rechargent. Si vous avez un ou
des amoureux, éprouvez la joie et l'intimité qu'ils vous apportent.

Puis, de cet endroit de créativité et de joie, regardez le monde.
Représentez le monde comme un miroir de la transformation qui
a pris place en vous. Ressentez la guérison de la planète. Imaginez que le monde se transforme pour être exactement comme
vous voudriez qu'il soit.

Quand vous avez fait cela, affirmez : *"Ceci, ou quelque chose de
mieux, se manifeste maintenant pour le plus grand bien de tous"*.

CHAPITRE XXIV

# UNE VISION

De la fenêtre de mon appartement, je regarde la belle ville de San Francisco, de l'autre côté de la baie. La lumière sur l'eau et à l'horizon change constamment. C'est quelquefois nuageux et brumeux, quelquefois éclatant et ensoleillé, mais avec toujours une touche mystique. Cette vue m'a peut-être inspiré une image qui me vient souvent à l'esprit :

Je vois une ville ancienne, grise et en ruines. Elle se désintègre littéralement, les vieux édifices s'écroulant en amas de poussière. Puis cette ville disparait. Une belle cité neuve est en train de naître à sa place. Cette nouvelle cité est magique - elle semble rayonner délicatement de toutes les couleurs de l'univers. Je sais qu'elle se construit en nous. Elle est créée par la lumière.

# Centre SHAKTI

Pendant des années, mon rêve a été de créer un centre/école pour ceux qui font la transition du monde ancien vers le monde nouveau, afin qu'ils aient un environnement qui les soutienne totalement, pour apprendre, évoluer et créer. Ce rêve est maintenant devenu réalité. J'ai créé le Centre Shakti à Marin County, Californie (près de San Francisco).

Le centre Shakti propose des cours, des ateliers, des groupes de soutien, un programme de formation d'enseignants et un programme d'arts de création. Nous organisons aussi des retraites et des intensives à Hawaï et dans d'autres endroits, tout comme des ateliers de week-end dans tout le pays, dirigés par moi-même et/ou par Laurel King.

Pour toute information, écrire ou téléphoner :
Shakti Center
P.O. Box 377
Mill Valley, California 94942
Tél. (415) 383-1154

# LE MASSAGE MÉTAMORPHIQUE

## Gaston Saint Pierre
## Debbie Boater

Le principe du massage métamorphique est de reconnecter l'individu, grâce à un massage de points réflexes de la colonne vertébrale sur les pieds, les mains et la tête, à sa période pré-natale. Celui-ci retrouve ainsi la force de vie essentielle à l'œuvre pendant la gestation ; les blocages d'énergie peuvent être levés et le potentiel d'auto-guérison actualisé.

L'originalité de cette approche est que le praticien n'a pas une attitude dirigiste vis-à-vis du patient, ni de l'énergie ; il est neutre, il n'est qu'un catalyseur pour l'énergie vitale de l'individu.

Ce livre très simple, avec schémas, met cette approche à la portée de tous ceux qui sont intéressés par la médecine holistique et qui veulent changer leur vie. Très conseillé à pratiquer avec les enfants.

## TABLE DES MATIÈRES

Introduction - Historique - Schéma prénatal - Principe des correspondances - Influences - Motivation - Manifestations du changement - Patients et praticiens - Pratique - Conclusion.

*Gaston Saint Pierre est né en 1940 au Canada et vit en Angleterre depuis 1960. Diplômé Montessori, il fut formé au Massage Métamorphique par Robert Saint John, qui a mis au point cette technique. Il fonda la «Metamorphic Association» en 1980 et donne des conférences et séminaires en Europe et en Australie.*

*Debbie Boater est née en 1953. Spécialiste et enseignante en nutrition et cuisine complète, elle travaille dans plusieurs centres de préparation à la naissance et de massage. Prépare un livre sur la naissance.*

**112 pages, broché** · ISBN 2-904670-11-4 Col. CHRYSALIDE · **58 FF**

# CRISTAL DE VIE

## RA BONEWITZ

Nous sommes au seuil d'une époque où les cristaux vont jouer un rôle considérable. C'est déjà le cas en ce qui concerne la technologie, mais les cristaux recèlent des énergies beaucoup plus subtiles que l'Homme peut apprivoiser : en effet, il semble que notre conscience ait atteint un niveau de développement grâce auquel les cristaux peuvent à nouveau nous livrer leur intimité, après une fermeture de plusieurs millénaires due au mésusage qu'en avaient fait les Atlantes.

Dans ce premier livre sur le sujet, RA BONEWITZ nous fait parcourir un long cheminement depuis le "big-bang" de la formation de notre univers, jusqu'à la lente maturation de notre planète et à la genèse des cristaux ; il en décrit scientifiquement les formes, les classifications, comment les récolter, leur histoire et utilisations récentes comme bijoux et dans la technologie de pointe.

Puis nous découvrons un autre visage du cristal, qui pose son regard purificateur sur l'Homme en méditation ou dans un processus de guérison ; mais l'auteur balaie aussi quelques idées fausses sur le sujet ! Enfin, il nous donne des techniques simples et fondamentales pour s'en servir et même en faire pousser ! Mettez des cristaux dans votre vie !

*RA BONEWITZ a une grande autorité en la matière : il est scientifique, professeur de géologie, d'une part, et a suivi d'autre part un chemin spirituel ; il a ainsi les deux points de vue technique* **et** *intuitif, complémentaires, sur les cristaux. Il anime des ateliers sur la guérison et les énergies des cristaux.*

ISBN 2-904670-17-3                                      **73 FF**

# Aux EDITIONS SOLEIL

## AIMER C'EST SE LIBÉRER DE LA PEUR

### G.G. Jampolsky

«J'étais un psychiatre couronné de succès, qui semblait posséder tout ce qu'il désirait. Mais en moi régnaient le chaos, le vide, le malheur et l'hypocrisie. Un jour, j'entendis une voix intérieure me dire : «Médecin, soigne-toi toi-même : c'est ton chemin vers l'harmonie».
Il n'y a que deux émotions : l'amour et la peur. La première est notre héritage naturel et l'autre une création de notre esprit. En apprenant à me libérer de la peur, j'ai commencé à faire l'expérience d'une paix que je n'aurais jamais crue possible.»

G.G. JAMPOLSKY.
psychiatre.

*Du même auteur :*

*NOUVEAUTÉ*
*AUTOMNE 87 :*

## Sans peur et sans reproche

L'ESSENCE DE VOTRE ÊTRE, C'EST L'AMOUR. UN MÉDECIN AMÉRICAIN, CÉLÈBRE PAR SES LIVRES ET SES INTERVENTIONS A LA TÉLÉVISION, VOUS RÉVÈLE LES SECRETS D'UNE VIE OÙ LE BONHEUR ET LA LIBERTÉ DEVIENNENT VOTRE RÉALITÉ DE CHAQUE INSTANT.

JOIGNEZ-VOUS AUX CENTAINES DE MILLIERS DE LECTEURS POUR QUI CE BEST-SELLER CONSTITUE UN MERVEILLEUX GUIDE.

### ON DIT QUE L'AMOUR FAIT DES MIRACLES. ET SI C'ÉTAIT VRAI?

# Aux EDITIONS SOLEIL

## LA VIE BIOGÉNIQUE

### Edmond Bordeaux-Székély

Le Docteur Bordeaux-Székély découvrit, dans les archives du Vatican, le manuscrit de l'Evangile essénien de la Paix, qu'il publia en français en 1928. Romain Rolland écrivit alors au Docteur Bordeaux : ''Ce texte, d'une sublime élévation, est un hymne à la vie universelle et à la solidarité de tous les êtres vivants''. Il convainquit Edmond Bordeaux-Székély d'écrire un livre ''pour enseigner comment appliquer la sagesse des Esséniens en ce siècle turbulent''.

Ainsi parut en français la première version de ''La Vie Biogénique''. Par la suite, le Docteur Bordeaux créa, en Californie du Sud, un centre de santé qui mit en pratique les traditions esséniennes pendant plus d'un tiers de siècle. Les livres, cours et séminaires du Docteur Bordeaux furent l'une des sources du mouvement de santé holistique qui se développa aux U.S.A.

En 1977, il écrivit en anglais, ''The Essene Way, Biogenic Living'' qui reparaît maintenant en langue française, porteur d'un enseignement de santé et d'harmonie exceptionnel.

**Format 13,5×20,5 - 184 pages - illustré.**

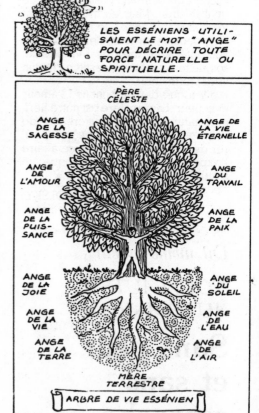

LES ESSÉNIENS UTILISAIENT LE MOT "ANGE" POUR DÉCRIRE TOUTE FORCE NATURELLE OU SPIRITUELLE.

PÈRE CÉLESTE

ANGE DE LA SAGESSE

ANGE DE LA VIE ÉTERNELLE

ANGE DE L'AMOUR

ANGE DU TRAVAIL

ANGE DE LA PUISSANCE

ANGE DE LA PAIX

ANGE DE LA JOIE

ANGE DU SOLEIL

ANGE DE LA VIE

ANGE DE L'EAU

ANGE DE LA TERRE

ANGE DE L'AIR

MÈRE TERRESTRE

ARBRE DE VIE ESSÉNIEN

**A L'ORIGINE DU CHRISTIANISME, DE FABULEUX ARTISANS DE SANTÉ**